Moi
et les Blondes

Moi et les Blondes

Teresa Toten

Traduit de l'anglais par
Catherine Vallières

Éditeur : François Doucet
Traduction : Catherine Vallières
Révision linguistique : Féminin Pluriel
Correction d'épreuves : Carine Paradis, Catherine Vallée-Dumas
Conception de la couverture : Mathieu C. Dandurand
Photo de la couverture : © Thinkstock
Mise en pages : Mathieu C. Dandurand
ISBN papier 978-2-89733-269-3
ISBN PDF numérique 978-2-89733-270-9
ISBN ePub 978-2-89733-271-6
Première impression : 2013
Dépôt légal : 2013
Bibliothèque et Archives nationales du Québec
Bibliothèque Nationale du Canada

Éditions AdA Inc.
1385, boul. Lionel-Boulet
Varennes, Québec, Canada, J3X 1P7
Téléphone : 450-929-0296
Télécopieur : 450-929-0220
www.ada-inc.com
info@ada-inc.com

Diffusion
Canada : Éditions AdA Inc.
France : D.G. Diffusion
Z.I. des Bogues
31750 Escalquens — France
Téléphone : 05.61.00.09.99
Suisse : Transat — 23.42.77.40
Belgique : D.G. Diffusion — 05.61.00.09.99

Imprimé au Canada

Participation de la SODEC.
Nous reconnaissons l'aide financière du gouvernement du Canada par l'entremise du Fonds du livre du Canada (FLC) pour nos activités d'édition.
Gouvernement du Québec — Programme de crédit d'impôt pour l'édition de livres — Gestion SODEC.

Catalogage avant publication de Bibliothèque et Archives nationales du Québec et Bibliothèque et Archives Canada

Toten, Teresa, 1955-

[Me and the Blondes. Français]

Moi et les Blondes

(Blondes ; 1)
Traduction de : Me and the Blondes.
Pour les jeunes de 13 ans et plus.
ISBN 978-2-89733-269-3
I. Vallières, Catherine, 1985- . II. Titre. III. Titre : Me and the Blondes. Français.

PS8589.O675M414 2013 jC813'.54 C2013-941456-8
PS9589.O675M414 2013

À Sasha,
mon cœur de lion

Dites la vérité et fuyez.

Proverbe yougoslave

Prologue

Tout est possible, dans une gare d'autobus.

Chacun peut être n'importe qui, faire n'importe quoi, aller n'importe où. Il n'est même pas nécessaire d'avoir un billet, sauf évidemment s'il vous faut prendre un autobus. Une gare d'autobus est comme le centre d'un univers parallèle. Toutes sortes de gens y défilent, de cet écolier d'une école privée pressé d'aller montrer quelque chose à papa à cette autre personne qui vient tout juste d'obtenir son congé d'une institution psychiatrique. Et entre ces deux extrêmes, plein d'autres spécimens incroyables. Si ce n'était de la gare d'autobus, on ne connaîtrait même pas l'existence de ces gens. Et pourtant, les voici qui marmottent, mangent des marrons grillés et se remettent du baume à lèvres brillant à la pêche.

Tout cet univers contribue cependant à ce qu'une fille puisse se sentir plutôt bien dans sa peau.

Le monde entier monte à un moment ou l'autre dans un autobus Greyhound. Sans exception. Et c'est justement pourquoi les adultes multiplient toujours les avertissements. Ils préviennent leurs filles du danger de se faire kidnapper et de se retrouver victimes de la traite des Blanches. Comme si, à un instant donné, elles étaient à remettre des pièces de 25 cents au préposé du comptoir à billets, puis l'instant d'après, à éventer le sultan du Brunei, vêtues de ravissants pantalons turquoise de harem. J'imagine que ça n'arrive qu'aux Blondes. Je suis mi-Bulgare, mi-Polonaise. J'ai l'air d'une gitane, et les gitanes ne se font pas kidnapper.

C'est nous, les kidnappeurs.

La Coréenne devant moi dans la file de la billetterie éprouve beaucoup de difficulté à pousser ses 2 valises, ses 3 sacs d'emplettes et ses 147 boîtes en carton du magasin Eaton. Je prends sur moi de lui venir en aide, puisque tous les autres font semblant de ne pas la remarquer. Dès que semble vouloir bouger l'énorme monsieur en sueur devant la dame, je commence à traîner et à pousser les boîtes de quelques centimètres. Il y a probablement beaucoup de gens, devant ce gros monsieur, mais qui peut le savoir ? C'est comme se tenir derrière une forêt. La Coréenne et moi avançons à l'aveuglette. Je continue donc à tirer et à pousser, et elle continue à hocher la tête et à sourire. Et chaque fois, les taches de rousseur de son visage se mettent à danser. Ouais, des taches de rousseur, qui l'eût cru ! On voit de tout, dans une gare d'autobus. En guise de remerciement, la Coréenne me remet un bonbon à la menthe pour chaque déplacement de boîte. Je déteste les menthes, mais ça semble très, très important pour elle que je les accepte. Avant qu'elle n'arrive au comptoir, j'ai l'impression d'avoir avalé un tube de dentifrice. Je sens les vapeurs de menthe émaner de moi, se répandre autour du comptoir et embarrasser les clients de la gare.

L'homme derrière moi, en grande conversation avec lui-même, tient un sandwich au piment fort et à la saucisse. Il se livre à une compétition mortelle contre l'homme en sueur et la dame aux menthes, dans un étrange combat d'odeurs.

Les gares d'autobus nous endurcissent.

J'espère qu'aucun d'eux ne va à Kingston. Quand j'y serai rendue, ce sera facile. Je n'aurai qu'à prendre un taxi jusqu'au pénitencier. Il y a plein de taxis qui attendent l'arrivée des voyageurs. J'ai déjà fait ce voyage 11 fois, ces deux dernières années, et les taxis sont toujours là. Maman, bien sûr, ne sait pas que je suis à la gare d'autobus.

Je ne le lui dis jamais.

Lorsque j'ai finalement mon billet, je défile avec assurance devant tous les autobus Greyhound bien alignés, jusqu'à celui en partance pour Kingston. Je maîtrise parfaitement cette étape. Marcher à grands pas avec assurance quand mes entrailles se nouent est l'un de mes nombreux talents.

Avant de monter à bord de l'autobus, je dois trouver qui sera mon voisin de siège. Il est important que ce soit moi qui choisisse, et non le contraire. J'ai des besoins précis à satisfaire, habituellement une dame au style anglais de plus de 70 ans, cheveux bleus, qui sent le parfum *Gardenia*, de Crabtree & Evelyn. C'est le genre qui croit n'importe quoi.

Là, celle-là.

Pas mal !

Anglaise à n'en pas douter : bas, talons raisonnables, broche au revers de la veste et peau transparente poudrée à outrance.

— Bonjour, dis-je. Je m'appelle Farrah Fawcett et je m'en vais à l'Université Queen's à titre de récipiendaire d'une bourse spéciale pour étudiants prodiges en vue de la prochaine année scolaire. On peut s'asseoir ensemble ?

Elle semble flattée. Comme toutes les femmes de son genre.

— Ça alors, certainement, ma chère, répond-elle en portant la main à sa broche. Comme c'est merveilleux ! Vos parents doivent être si fiers. Une bourse, vraiment ! Dans quel domaine ?

Euh, oui. Quel domaine ? C'est *quoi*, un domaine ?

— Bonne question, que je lui réponds, avec un sourire modeste. Avez-vous déjà entendu parler de la métaphysique nucléaire hégémonique ?

— Oh, mon Dieu, non, glousse-t-elle.

C'est la pure vérité, elle glousse. On lit toujours que les gens gloussent, mais personne ne le fait vraiment, mis à part les dames au parfum Crabtree & Evelyn.

Elles gloussent tout le temps. C'est le bruit que je préfère entre tous.

— Bien, c'est ça, dis-je en continuant, avec une mineure en follicules thermodynamiques. Mais ne vous inquiétez pas, je ne vais pas vous ennuyer avec les détails. On peut parler de nos familles, de nos chalets d'été, de nos vacances préférées, de tout et de rien.

Elle me prend le bras en montant les marches.

— Ça me convient tout à fait, ma chère.

L'autobus hoquette, puis démarre dans un nuage de fumée.

Ce fut finalement un voyage charmant.

Rendues à Kingston, nous avions déjà échangé nos adresses, et je lui avais promis de l'appeler à mon arrivée en septembre suivant.

Kingston.

J'avais réussi. J'y étais.

Eh oui !

Le taxi me roula presque sur les pieds.

— Où allez-vous ?

Deux hommes avec des mallettes se mirent en file derrière moi.

— Alors ?

Le chauffeur sortit la tête par la fenêtre.

C'était un de ces si jolis nouveaux taxis — si propres et reluisants qu'on voudrait s'engouffrer à l'intérieur pour humer la bonne odeur de cuir neuf. Cinq personnes étaient maintenant en ligne derrière moi.

— Allez, petite !

Bon sang qu'il faisait chaud. Personne n'avait l'air d'en souffrir, mais moi, si. J'étais en sueur et je sentais la menthe.

— T'embarques, ou quoi ?

J'aperçus madame Sutherland, la dame au parfum Crabtree, à l'autre bout de la gare. Sa bru était venue la chercher, « une fille adorable, mais un peu négligente pour les tâches ménagères, cela dit sans vouloir me plaindre ou souligner les défauts, remarquez ». Madame Sutherland aussi m'avait gavée de menthes.

— Est-ce que ça va ? Es-tu perdue ?

Perdue dans l'œil d'une tornade de menthes.

C'était un présage.

— Oui ou non, beauté ?

— Oui, dis-je à l'homme à la mallette plutôt qu'au conducteur. Je veux dire, non. Je veux dire, je ne suis pas perdue, alors non, ça va. Je vais bien. C'est juste…

« Juste quoi ? », me demandai-je.

L'homme à la mallette fronça les sourcils, mais il n'avait pas l'air fâché.

— Hé, toi !

— Laissez-la, dit l'homme à la mallette en faisant un pas vers moi. Écoutez, est-ce que je… ?

— Non, euh…, balbutiai-je en fouillant dans ma poche. J'ai un billet de retour pour Toronto, vous voyez ?

Il l'examina attentivement. Il était peut-être, à bien y penser, un de ces agents secrets qui travaille pour enrayer le commerce international de la traite des Blanches dans les gares d'autobus, dont le quartier général était probablement à Kingston. Après tout, entre la prison et l'université.

— Je retourne par le prochain autobus, c'était un malen... Euh, j'ai changé d'idée. Merci.

Je sortis de la file.

Je me dirigeai avec confiance vers le quai numéro 3, destination Toronto.

D'accord, ça fait 12 fois. C'est correct. Treize est assurément mon chiffre chanceux. Alors, chiffre 13, à la prochaine fois.

La prochaine fois, c'est sûr.

— Mort ! Pas question qu'il soit *mort* !

J'essayai de m'éloigner d'elle, mais comme j'étais assise à côté de la fenêtre sur le même banc que maman dans le tramway, je ne pouvais m'éloigner véritablement.

— Je *refuse* de le tuer ; un point, c'est tout.

Maman expira entre ses dents.

— Chut ! Parrrle à voix basse, dit-elle en souriant gentiment à la nuque du chauffeur de tramway. Ils vont nous entendrrre.

— Je ne « *chut*-erai » pas. On est dans un tramway. « Ils » ne vont pas nous entendre, car « ils » s'en fichent éperdument. À part ça, on est les seules, ici.

Pour commencer par le début, nous nous trouvions dans ce stupide tramway pour la simple et bonne raison que la Panthère rose était encore une fois chez le garagiste. Et nous étions *ensemble* pour la simple et bonne raison que nous devions aller remplir les formalités de mon inscription à une nouvelle école, le collège Northern Heights, en troisième secondaire.

— Sophia…, implorait ma mère, les yeux toujours fixés sur la nuque du chauffeur. Sophia, nous en avons parrrlé en détail.

— Non, maman, *tu* en as parlé. Si tu te souviens bien, c'était seulement *toi* qui parlais, hier. Je n'ai pas…

— *On* en a parrrlé, *on* a décidé. Ton papa pense que c'est le mieux pour toi.

Une minute ! Ça s'est passé quand ? Alors, comme ça, tout simplement parce que je ne lui ai pas écrit ou que je ne l'ai pas vu depuis un certain temps, je n'ai pas un mot à dire sur la décision de le tuer ou non ?

— Papa ne voudrait pas…

— C'était *sa* décision.

Elle me serra le genou comme avec les mâchoires d'un étau. Elle a des mains magnifiques, ma mère. Je dois le reconnaître. Maman est foncièrement d'avis qu'une agente immobilière exceptionnelle et impeccable se doit d'avoir de belles mains. Et c'est presque logique. C'est de cette façon que ma mère a habituellement raison de moi. En étant *presque* logique.

— Nuit et jour, jour et nuit, ton pèrrre passe son temps à penser. Sophia, ma chérrrie, cinq écoles en six ans, il faut que ça arrrête. « Nous avons un nouveau foyer, nous devons commencer une nouvelle vie », dit papa. Tu vas aller à la meilleurrre école, pleine de gens exceptionnels.

Elle avait réussi à me faire entendre raison, sauf sur ce dernier point. Papa ne se préoccupait pas des gens exceptionnels. Papa était une personne exceptionnelle. D'accord, pas pour le moment, ni pour les six dernières années à peu de choses près, mais il l'était. C'est maman qui l'a dit. Même les tantes l'ont dit, et elles ne peuvent pas le sentir. Maman me tapota le genou dans une pathétique tentative de réactiver la circulation du sang.

— Ma si belle, si intelligente Sophia, je me tue pour que l'on puisse vivrrre dans ce quarrrtier. Papa aussi pourrrait tuer pour..., s'arrêta-t-elle en blêmissant. D'accorrrd, oublie que papa pourrrait tuer. Cette fois-ci serrra la bonne ! Avant, *avant*, dans les autrrres écoles, c'étaient tous de petites gens ! Les gens exceptionnels vont...

Elle chercha ses mots dans la nuque du chauffeur.

— ... savoir rrreconnaître que tu es exceptionnelle, en te voyant. Ils vont t'adorer, vouloir te manger.

Elle avait raison sur ce point. Deux semaines de retard en troisième secondaire. Les nouveaux s'étaient liés d'amitié pour la vie au plus tard le quatrième jour après le début des classes. Les groupes de l'an dernier, avec l'addition d'un élève ou deux pendant l'été, étaient scellés en cliques hermétiques qui dureraient jusqu'à la maternité. J'étais DMAA — déjà morte à l'arrivée —, et ce, avant même que l'on découvre ce qu'il en était pour papa.

Maman rayonnait. Un homme monta dans le tramway, absorbé dans son *Financial Times*, jusqu'à ce qu'il paie son passage et remarque le visage éclatant de maman. Il rayonna, lui aussi. Le visage éclatant de maman est un outil puissant. Elle passa un bras autour de moi et me serra contre elle, même si je lui dis toujours de ne jamais agir ainsi en public.

— Nouvel emploi, nouveau chez-soi, nouvelle école. Cette année, 1974, amènerrra de l'eau au moulin. Nous pourrrons nous rrredresser et filer drrroit[1].

— Nous redresser et filer droit, maman ? Ça sort de quel film ?

— Je ne m'en souviens plus, dit-elle en reniflant.

Maman a appris l'anglais grâce aux sous-titres des vieux films d'Hollywood. Dans le petit village bulgare de ma mère, il était possible d'apprendre le russe comme langue seconde, mais l'anglais était interdit. C'est donc grâce aux sous-titres que les gens ont pu parvenir à en faire l'apprentissage. Il faut être brillant, pour apprendre une langue à partir de vieux films, si on y pense bien. Le seul hic, c'est que maman parle la moitié du temps un anglais de comédie musicale. Mais pas mon père. Il a appris l'anglais en Pologne, où l'on ne voulait pas non plus que les gens parlent cette langue, mais, je ne sais trop comment, il l'a apprise parfaitement. Peut-être parce que papa est un prince polonais. Un prince, un duc, un comte, ou un autre titre qui sonne aussi bien.

---

1. N.d.T. : Traduction libre de *Straighten up and Fly Right*, titre d'une chanson interprétée dans le film *Here comes Elmer*, sorti en 1943.

Malgré les liens royaux, je suis de sang mêlé. Je ne sais même pas de quelle religion je suis. Papa a été baptisé catholique, mais maman a été baptisée athée. En sixième année, Claire O'Conner a pris grand soin de bien m'expliquer ma condition bâtarde. Elle était irlandaise de génération en génération, des deux côtés de sa famille. « Pure à 100 % », qu'elle disait. Dans mon cas, voyez-vous, maman est de Bulgarie, papa de Pologne, ils se sont rencontrés en Roumanie, et je suis née en Hongrie. Apparemment, comme ce n'était pas bien pour mon père dans ni l'un ni l'autre de ces pays d'être un prince polonais sachant parler anglais, nous sommes tous déménagés ici quand j'avais quatre ans. Je ne me souviens de rien. C'est parfait comme ça.

J'ai bien assez de me rappeler ce dont je me souviens.

Dans mes écoles précédentes, j'ai essayé de jouer la carte du prince polonais, lorsque la situation dégénérait, mais dans une cour de récréation, le meurtrier l'emporte sur le prince à tout coup.

« Elle a des poux de prisonniers. »

« C'est la fille du meurtrier. »

« La fille du meurtrier. »

« Fille de meurtrier. »

Plus jamais, non, monsieur. Je n'allais pas revivre ça. Maman n'était pas là dans les parcs, dans les cafétérias, aux toilettes — dans toutes ces salles de toilettes.

Moi, si.

J'ai appris.

D'accord, très, très lentement, mais j'ai appris, et ce, nullement grâce à un entourage de « gens exceptionnels ». Survivre à l'école était une question de pouvoir. Papa avait raison : il faut se blinder. Cette fois-ci, j'allais me joindre carrément aux gens de pouvoir, à Northern Heights. Et après cinq écoles, je savais que le pouvoir serait détenu par les Blondes.

Voyez-vous, j'estime que si vous êtes proche des Blondes, c'est à la vie, à la mort. Les coups de poignard dans le dos et les bannissements sont l'apanage des cliques de rousses riches et de brunettes-au-petit-copain. Elles se constituent des cercles d'influence au sein desquels souhaitent se faire admettre les futures prétendantes qui se font tour à tour chasser puis accepter de nouveau à contrecœur, et parfois plus jamais. Ce genre de comportement est indigne des Blondes : les Blondes, c'est pour toujours. Alors, en premier lieu, avant quoi que ce soit d'autre, j'allais essayer de trouver mes Blondes et de faire en sorte qu'elles m'adorent. À quel point serait-ce difficile ? En fait, à mon avis, les Blondes ne pouvaient être que les petites-filles des dames au parfum Crabtree & Evelyn, et ces dames m'adoraient.

Qui pouvais-je tromper ? Une DMAA.

Maman était toujours à se redresser et à filer droit.

— Alorrrs, cette fois, il est morrrt, sans aucun doute. Pas de trrravail au Japon, pas derrrière le rrrideau de ferrr ; c'est trrrop compliqué. On le tue. C'est ce qu'il veut. Tu peux te rrrapeller qu'il est morrrt, n'est-ce pas ?

Me rappeler ? Je vais être moi-même morte d'ici demain après-midi.

— Laissons l'avenirrr venirrr, *que serrra, serrra*[2], dit ensuite maman, comme elle le dit toujours à propos de tout et de rien. On descend ici.

Quand nous descendîmes, le chauffeur du tramway nous fit un clin d'œil à toutes les deux. Ou était-ce seulement à ma mère, ou à moi ? Je ne peux jamais être sûre, quand maman est avec moi.

L'école était de l'autre côté de la rue.

— Rrregarde ! Sophia, rrregarde. C'est magnifique, non ?

Maman pointait l'école comme si elle l'avait construite elle-même.

Je devais admettre — pas devant elle, bien sûr — qu'elle était *en effet* magnifique. C'était une de ces écoles au style très, très ancien. Le panneau de l'entrée principale indiquait Collège Northern Heights, 1917. Le bâtiment de pierre était ouvragé dans les moindres détails, étant donné que, comme Claire me l'avait expliqué, les Irlandais faisaient alors tout ce travail pour le prix d'une pomme de terre. Et il y avait d'immenses espaces verts avec de grands et vieux érables et chênes, où auraient dû se trouver toutes les installations temporaires. C'était effectivement magnifique.

— C'est correct, répondis-je en haussant les épaules.

---

2. N.d.T. : Paroles de la chanson *Que sera, sera*, interprétée dans le film *L'homme qui en savait trop*, sorti en 1956.

Maman et moi ouvrîmes les lourdes portes sculptées, et nous nous retrouvâmes dans l'entrée principale.

C'était peut-être une école exceptionnelle avec des élèves exceptionnels, mais l'endroit avait tout de même cette odeur caractéristique de toutes les autres entrées d'école où je suis allée. Les cours étaient commencés depuis deux semaines, et l'intérieur de l'établissement dégageait une odeur de souliers de course. Ça m'a quelque peu calmée de savoir que la sueur des enfants de familles riches pue tout autant que celle des enfants de familles pauvres. Je suivis ma mère, qui entrait doucement au secrétariat.

Une vieille dame, peut-être âgée de 40 ans, était à peine visible, derrière des piles et des piles de feuilles.

— Bon aprrrès-midi. Je suis madame Kandinsky, mèrrre de Sophia Kandinsky, et nous avons rrrendez-vous pour l'inscrrription de ma fille dans votrrre adorrrable école.

La dame pivota vers la machine à écrire et y inséra un formulaire.

— Oui, pile à l'heure. Veuillez vous asseoir. Je m'appelle June Haver, et nous allons remplir ceci, n'est-ce pas ? Et tout sera parfait.

Dès que maman et moi nous fûmes assises, nous perdîmes complètement de vue madame Haver derrière les amoncellements de papier.

Une voix désincarnée dit :

— Je constate que nous avons les bulletins de Sophia en provenance de — mon Dieu ! — Parkdale,

St. Stephen's, Hillsdale, St. Teresa et Dufferin. Vous brisez l'alternance, il me semble, en choisissant Northern Heights, non ?

Maman se croisait et se décroisait les jambes durant tout ce temps, de plus en plus nerveuse au fil des secondes. Maman a besoin de *voir* son interlocuteur, ou, plus important encore, que son interlocuteur la *voie*, afin qu'elle puisse se servir de son charme éclatant à son endroit. Elle déteste opérer à l'aveuglette, au téléphone et, apparemment, derrière des piles de feuilles. Maman croit fermement que si quelqu'un la *voit*, lui *prête attention*, cette personne ne remarquera pas son accent.

— Excusez-moi ?

— Vous avez tour à tour choisi une école protestante, catholique, protestante, catholique, protestante, et maintenant Northern. Ça fait deux écoles protestantes de suite.

Maman ne pouvait plus se retenir. Elle se leva, pour être en mesure de voir madame Haver.

— Oh…, non, *ya*, je vois, vous voulez faire des plaisanterrries. Je…

Et voilà, c'était parti.

Maman baissa les yeux, mit la main sur sa poitrine, et soupira.

— Je suis une agente immobilière agrrréée. *Ya ?* Nous déménageons tout le temps, pour améliorrrer notrrre situation, vous comprrrenez, depuis que son…

Elle lança un regard de pitié vers moi.

— … pèrrre est morrrt. Qu'il rrrepose en paix ! Oh, il était catholique, mais pas trrrès rrreligieux, vous comprrrenez.

Elle soupira encore plus profondément.

— Ce n'est pas facile d'êtrrre veuve. Alors, nous passons notrrre temps à déménager, mais maintenant nous avons acheté quelque chose dans votrrre quarrrtier exceptionnel.

Elle rayonnait entièrement.

Non seulement madame Haver sembla pratiquement la comprendre, mais elle hocha même la tête avec compassion.

— À qui le dites-vous, dit-elle. Mon Stanley m'a quittée, il y a cinq ans. Il m'a laissée avec deux enfants, des garçons.

— Oooh !

Maman se toucha le cœur.

— Une trrragédie terrrible. Ce n'est pas facile, je sais.

— Merci. Est-ce que l'adresse est bonne ?

Maman jeta un regard au formulaire et hocha la tête.

— *Ya*.

Je regardai discrètement en direction de maman. Elle peut lire parfaitement le bulgare, le russe, le français et même l'anglais, mais elle ne peut lire un traître mot sans ses lunettes, qu'elle refuse absolument de porter en présence d'une autre personne. J'aurais à vérifier les formulaires à la maison.

— N'est-ce pas là l'adresse du nouvel immeuble d'appartements sur Logan ? demanda madame Haver. Il a l'air bien.

— Des appartements en copropriété, dis-je pour le principe de parler.

— *Ya*, sourit maman. Comme des appartements, mais vous êtes prrroprrriétaire. C'est nouveau. Trrrès exceptionnel. Je vous donne ma carrrte.

Au secours, quelqu'un ! C'était reparti de plus belle.

— Oui, j'ai lu à ce sujet-là, lança madame Haver entre deux séries de frappes sur sa machine à écrire. Je dois dire que ça semble intéressant.

— Je vais tout expliquer.

Maman contourna le bureau, pour rejoindre madame Haver.

— Vous savez, j'ai aussi été conseillèrrre en soins de beauté pour Marrry Kay.

Et encore et encore.

— Sans blague. J'ai entendu parler d'elle, par ma belle-sœur de Buffalo. Mais son entreprise ne fait affaire qu'aux États-Unis.

Maman haussa les épaules.

— Je me procurrrais mes fourrrniturrres de Buffalo. J'ai gagné une Buick rrrose. J'étais, sans vouloirrr me vanter, tellement bonne. J'ai encorrre des prrroduits. Vous allez venirrr, nous pourrrons parrrler toutes les deux, et je vous ferrrai un masque.

Je lui avais dit d'innombrables fois…

— Marché conclu, madame Kan… Kandin…

— Magda.

— Marché conclu, Magda.

— Nous, les veuves, devons nous tenirrr entrrre nous.

— Vous pouvez le dire. Et maintenant, votre fille… Sophie ? m'appela-t-elle.

Sophie, moi ?

— Oui, madame ? lui répondis-je.

— Ce bureau est ton refuge. Ton deuxième chez-toi, tu comprends ? Si tu as besoin de quelque chose et que ta mère travaille, tu viens et tu t'installes ici.

— Merci, madame.

— Vous êtes une dame exceptionnelle, madame…

— June. Comme vous l'avez dit, nous devons aussi nous tenir entre mères monoparentales. Comment votre pauvre mari est-il mort ?

Seigneur. On avait oublié ce détail. C'est toujours comme ça. « Le diable se cache dans les détails », comme le disait toujours le père McKenna. Maman et moi sommes toutes deux nulles dans les détails. On se laisse emporter, on complique inutilement les choses, puis on oublie le commencement du commencement. « Raconte-lui quelque chose de simple, maman. » J'essayais de lui envoyer des ondes : « Simple, simple… »

— Son cerrrveau a explosé.

Quelqu'un en eut le souffle coupé. C'était moi.

— Un anévrisme ?

— D'accorrrd, répondit maman.

— Je suis désolée, ma pauvre, dit madame Haver. Au moins, ça a été rapide.

— Ça l'était ?

Maman avait l'air perplexe.

Je lui fis furieusement signe que oui.

— Oui, ça l'a été. Le vôtrrre ?

— Crise cardiaque.

— Ooooh, c'est bien aussi.

Je l'aurais tuée.

— Il n'a pas eu le temps de souffrir, c'est certain.

J'entendis le bruit d'une feuille qu'on enlève de la machine à écrire. Madame Haver me tendit mon horaire.

— Ça devrait aller. Bienvenue à Northern Heights, Sophie. Voici ton horaire non officiel. Tu recevras le permanent demain matin à la première heure, au bureau du directeur adjoint.

— Merci, madame.

Elle m'appelait Sophie, pas Sophia. *Sophie.* Ça me plaisait. Ça me plaisait même beaucoup. Ça sonnait léger, insouciant, potentiellement populaire.

— Magda, je vais accepter votre offre dès que j'aurai rattrapé tout ça, promit-elle en regardant ses piles. Vous pouvez compter sur moi.

— J'y compte bien. C'était un vrrrai plaisirrr.

Maman sortit pratiquement en sautillant, toute légère sur ses talons aiguilles. Elle n'avait pas marché comme ça depuis longtemps. Des années, même. Dans un sens, je sautillais aussi, à l'intérieur. Parfois, je me dégoûte. Il y a des siècles que je n'ai pas vu papa ou que je ne lui ai pas écrit, puis paf, on l'assassine. On le tue, et je me sens bien ? Qu'arrivait-il ?

J'aime être gentille. Je veux être reconnue pour ma gentillesse. C'est comme un but sérieux, pour moi. Quand les gens entendront mon nom, je veux qu'ils se sentent poussés à dire « Sophia — non, *Sophie* — est siiiii gentille ». Mais j'ai comme l'impression que l'on ne peut pas tuer son père, se sentir vraiment bien et être quand même considérée comme gentille.

À bien y penser, oui, je pourrais vivre avec ça.

Je jetai un coup d'œil par la fenêtre de la porte du local 108, me tenant un peu en retrait pour ne pas être vue. J'excelle dans l'observation à distance. Le cours était commencé. J'étais allée chercher mon horaire au bureau du directeur adjoint, et, de fil en aiguille, il était maintenant 9 h 18. D'accord, d'accord, c'est sans importance. Comme qui dirait : « Et puis après ? » Le cours était commencé, j'étais deux semaines en retard, et j'arrivais dans une nouvelle école.

Seigneur.

Je reculai dans l'alcôve. C'est comme si quelqu'un m'avait injecté de l'eau glacée dans l'estomac.

Je regardai de nouveau. Mon professeur d'anglais et titulaire de classe, un certain monsieur P. Goring, brandissait une copie de, euh, *quelque chose*. Je ne pouvais pas déchiffrer la couverture. Il portait des vêtements dans des tons de couleur terre, comme s'ils avaient été faits d'écorce et de brindilles. Ses cheveux gonflants et sa barbe étaient complètement blancs. Mon professeur ressemblait à un saule blanc.

Il était 9 h 21. J'allais saisir la poignée.

— Bon, allons-y.

Euh, peut-être pas tout de suite. Je décidai que mon hyperventilation se poursuivrait pendant quatre autres minutes.

D'accord, d'accord, 9 h 25. J'entendais mon cœur battre dans mes oreilles. Ça se produit tout le temps, quand je disjoncte. Mes oreilles en subissent les premières manifestations. D'accord. « J'y vais, papa. » J'ai fait le signe de croix, j'ai ouvert la porte et j'ai comme cogné du côté intérieur de celle-ci. D'un air vraiment désinvolte.

— Pardon, euh, bonjour. Je m'appelle Sophia. Non, Sophie, Sophie…

— Kandinsky, compléta monsieur Goring en me faisant signe d'entrer.

J'entendis quelques gloussements. Les gloussements ne m'atteignent point. Les sourires condescendants me tuent, mais les gloussements éparpillés, ça peut aller. J'avançai avec *assurance* dans la classe.

Monsieur Goring jeta un coup d'œil à une feuille sur son bureau.

— Groupe, Sophia…

— Sophie.

— Désolé. Sophie arrive de, de…, eh bien, dit-il en fronçant les sourcils au-dessus de sa feuille, ouah, super, d'à peu près partout, mais plus récemment de Dufferin. Bienvenue, Sophie. Je m'appelle Philip Goring. Tu peux m'appeler « Phil ».

Phil ?

La pièce était remplie d'odeurs. Je pouvais reconnaître des effluves de *Love's Baby Soft*, Right Guard, *Love's Fresh Lemon* et Irish Spring, tous mêlés à l'odeur d'une pauvre fille qui s'était vidé sur le corps une bouteille entière de *White Shoulders* appartenant à sa mère. Il y avait toujours une fille du genre dans chaque classe. Et c'était habituellement celle que je préférais. Pas cette fois-ci, cependant. Ça, non !

— On étudie en ce moment *Une paix séparée*, m'informa Phil. Tu connais John Knowles ?

— Super.

Quant à moi, ç'aurait pu tout aussi bien être *Autant en emporte le vent*. J'avais lu durant l'été tous les livres au programme d'anglais des 3e et 4e années, ainsi que la moitié des livres de 5e, afin de pouvoir me consacrer, le moment venu, à des questions plus importantes liées par exemple à la survie.

Ça alors…

Je n'étais pas prête pour ça. J'ai en effet tout vu, tout…, mais jamais ce genre d'accueil.

Ils s'en fichaient.

Hé, je suis une nouvelle élève professionnelle ! J'ai atterri dans de nouvelles écoles à toutes les périodes de l'année, et on a manifesté toutes les attitudes à mon égard, allant de l'enthousiasme sincère à l'hostilité féroce. Mais l'indifférence… Que fait-on, avec l'indifférence ? Je pouvais sentir ma sueur couler, malgré la bonbonne entière d'Arrid Extra Sec que je m'étais appliqué plus tôt ce matin-là.

Phil s'avança à côté de moi devant la classe.

— Je vais te dénicher une copie du livre d'ici la fin de la journée.

Il montra la classe du bras.

— En attendant, tu pourras constater que nous sommes plutôt relax, ici.

Il voulait dire qu'il n'y avait pas de rangées. Les élèves étaient éparpillés en petits groupes de trois ou quatre, ou chacun seul. C'était la même méthode démente de l'élève au centre des apprentissages que j'avais déjà expérimentée à Hillsdale, trois écoles auparavant. Affalés, entortillés et avachis, les élèves portaient tous soit des pantalons à pattes d'éléphant avec des décalcomanies appliquées au fer à repasser, soit des minijupes ou des jupes midi, les pieds dans tous les sens, tous sauf une qui portait une jupe à plis bourgogne et grise. Les pieds à plat au sol, les genoux collés, c'était probablement elle qui s'était aspergée de *White Shoulders*.

Je les ai vues tout de suite. Dès que je suis entrée dans la classe, en fait.

Elles étaient de ce blond-*là*.

Au nombre de trois, au beau milieu de la pièce.

Évidemment.

L'une portait une robe imprimée Lilly Pulitzer rose-bonbon-vert-lime ; les deux autres, des minishorts de style « *hot pants* » aux teintes pastel. Les *hot pants* étaient interdits, à Dufferin. Je pris note qu'il me faudrait en acheter une paire avant que la mode ne passe. C'était un beau groupe. Les Blondes forment toujours de beaux groupes, surtout lorsqu'elles agencent leurs couleurs. Ces Blondes étaient plus blondes que blondes. D'accord, la fille aux *hot pants* lavande avait peut-être reçu un peu d'aide pour ses mèches, grâce aux bons soins du salon de coiffure et non pas de la pharmacie, mais ces filles auraient pu fournir l'éclairage en cas de panne d'électricité. Je me demandai s'il s'agissait des Blondes de toutes les classes de troisième secondaire, ou uniquement de cette classe. J'avais l'impression qu'elles avaient probablement trouvé comment faire pour se retrouver toutes dans le même cours. Seigneur Jésus, j'avais tiré le gros lot dans mon propre groupe d'accueil.

« D'accord, d'accord, réfléchis ! » Je fis un pas vers le centre de la pièce, en ligne droite avec elles, pour qu'elles n'aient d'autre choix que de me « voir ». C'est ce qu'on appelle réorganiser l'univers. Ce sont mes tantes qui me l'ont appris. Ça ne fonctionnait pas. Elles ne levèrent même pas la tête.

— Je n'ai pas de pupitre libre, dit Phil.

Mon cœur se remit à battre dans mes oreilles. Je pouvais à peine entendre le professeur. « D'accord… » Je fis un pas perceptible, mais pas trop perceptible quand même, vers les Blondes.

Phil sortit une chaise massive en vieux chêne de l'arrière de son bureau.

— Mais tiens, prends cette chaise et assois-toi au pupitre de Madison.

Bingo.

La Lilly Pulitzer se rangea un peu de côté. Madison. Bon, Madison était la chef des Blondes.

J'avançai avec *assurance* jusqu'à son pupitre. Du moins, avec autant d'assurance que possible tout en traînant la chaise, mon cartable «*flower power*», mon précieux sac à bandoulière en macramé et mon tout nouvel horaire. Madison me fit un faux sourire qui aurait subjugué une fille plus faible.

— J'aime ta Lilly, chuchotai-je. Bien sûr, maintenant, je devrai t'assassiner pour l'avoir. Je n'ai pas l'argent pour m'en acheter une.

J'avais passé les deux dernières semaines à m'exercer à faire des compliments vestimentaires.

Madison haussa les épaules. D'un air cool évasif, le genre qui ne s'apprend pas.

— Si tu es quelqu'un de bien, je pourrais peut-être te dire où trouver des imitations décentes.

Parfait. C'était *parfait.*

— Beaux jeans, dit la blonde retouchée. Je m'appelle Kit.

— Merci.

Vraiment parfait.

— J'en avais une paire identique, sourit-elle. L'année dernière.

D'accord, pas vraiment parfait.

Miss *Hot-pants* bleu ciel me salua à son tour en remuant les doigts.

— Sarah, chuchota-t-elle.

— Sophie, répondis-je sur le même ton.

J'arrêtai de compter mentalement le pointage. Nous étions toutes assises là, à nous jauger en faisant semblant de rien.

— Bon, interrompit Phil, à ton arrivée, nous prenions beaucoup de plaisir à établir de quelle façon *Une paix séparée* s'inspire littéralement de la résonance cachée des paroles des chansons de John Lennon. Cool, n'est-ce pas ?

Les Blondes et moi hochâmes la tête indifféremment.

— Non, mais quel numéro ! chuchotai-je.

Madison me donna un petit coup de coude, et Kit — je le suppose, car je ne pouvais pas vraiment voir — émit un grognement de rire. Un grognement, c'est bien ; moins bien qu'un gloussement, mais préférable à un sourire condescendant. Habituellement, du moins. Phil s'attarda encore 10 minutes sur cette magnifique terreur que constitue la recherche de soi-même par des chemins improvisés et sur la nécessité de bien se rendre compte qu'on ne peut jamais être seul dans un voyage avec soi-même. Je commençais à me demander si le vieux Phil n'était pas un peu porté sur les drogues.

Au son de la cloche, les élèves se précipitèrent hors de la classe, mais Phil me fit signe de rester un moment. Les Blondes s'évaporèrent. Il s'assit sur le côté de son bureau.

— Sophie.

Ses sourcils fournis se rejoignirent pour former une seule et longue chenille.

— Sophie, je voulais juste te faire savoir, tu sais ! Pour bien commencer, tu vois. Je suis au courant. C'est vraiment une situation déprimante.

Une situation déprimante ? Quelle situation déprimante ?

— Monsieur ?

— Je suis au courant, pour ton père, Sophie.

Papa ? Seigneur, déjà ? Pas possible…

— Ah, répondis-je intelligemment.

— Madame Haver m'a raconté son récent passage violent vers la lumière.

— Ah, répétai-je.

Apparemment, je ne savais plus dire aucun mot. Avait-il dit « violent » ? Avions-*nous* dit « violent » ? Mais qu'avait dit madame Haver ? « Des détails, Sophie, des détails. »

— J'ai perdu un frère ! Décédé du cancer du cerveau, tu vois.

Sa chenille était braquée droit sur moi.

— Ah… Euh.

Ses sourcils retombèrent en place.

— Non, tu vois, je voulais te dire, si jamais tu veux en jaser, jaser de n'importe quoi, je suis là, vraiment là. Compris ?

Il toucha mon épaule — d'une manière plutôt saine, pas du tout dégueulasse.

Je me sentais minable de lui mentir, même si je ne me souvenais pas de l'avoir vraiment fait. En réalité, je n'avais pas menti. Techniquement, je lui avais juste laissé croire un mensonge que maman avait improvisé et que madame Haver répandait maintenant dans toute l'école. Ça ne comptait pas comme un mensonge de ma part.

C'était une situation qui semblait malgré tout mensongère.

— Ah, dis-je, réussissant à formuler un « merci » pour faire changement, tout en reculant vers la porte. Je… Eh bien, ouais, merci.

Cancer du cerveau ? Quand lui avions-nous donné le cancer du cerveau ? Mais *qu'est-ce* diable qu'un cancer du cerveau ?

Je perdis les Blondes pour le reste de l'avant-midi. Aucune d'entre elles n'était dans mon cours de maths, aucune non plus en histoire. Sarah, celle aux gros seins et aux *hot pants* bleu ciel, était dans mon cours de biologie, mais elle fut immédiatement encerclée par trois BCBG[3] qui se donnaient des airs cool. Elle me fit tout de même un large sourire loufoque.

Le repas du midi fut une agonie interminable. Je passai la cafétéria au peigne fin, mais je ne pus trouver les Blondes nulle part. Je ne reconnaissais personne, mis à part la fille *White Shoulders* à la jupe à plis. Elle était assise avec une fille à la queue de cheval bien attachée, ainsi qu'avec un bel Indien. Je réprimai le fort désir de m'asseoir avec eux et de m'en faire adorer. Je sortis sans rien acheter.

Les Blondes pouvaient être n'importe où : dans l'un des restaurants tout près, dehors dans le gazon, ou même chez quelqu'un. Que faire, maintenant ? Plutôt que de risquer un faux pas mortel en

3. N.d.T. : Bon chic bon genre.

m'assoyant à la mauvaise table, je me rendis aux toilettes des filles et je passai les 42 minutes suivantes au purgatoire, à faire pipi et à remettre du brillant à lèvres Pot O' Gloss. Chaque fois que quelqu'un entrait, j'allais dans une cabine, je faisais pipi, je me lavais les mains, je fouillais pour trouver mon brillant à lèvres, puis je m'en remettais. Au moment d'aller au cours de français, j'étais complètement sèche, mais j'aurais pu beurrer une dinde avec mes lèvres. Aucune des Blondes n'était non plus dans le cours de français.

J'avais abandonné tout espoir au cours d'économie familiale, quand Kit arriva soudain de nulle part et s'assit derrière moi. Tous les élèves passaient par son pupitre pour lui dire un mot ou la saluer, peu importe où se trouvait leur place. Puis, une petite chose guillerette s'arrêta et se pencha précisément au-dessus de mon pupitre.

— Sophie, je m'appelle Susie, Susie Bartlett, et je voulais que tu saches, eh bien, que nous sommes tous tellement, tellement désolés de la mort de ton père mardi dernier. Vraiment, tu es réellement courageuse d'aller de l'avant, et si rapidement.

Elle soupira profondément et repartit d'un bond.

Quoi ? Je me tournai.

— Qu'est-ce qui… ?

Cela expliquait tous les regards intenses de sympathie qu'on me lançait.

— Ce n'était pas mardi dernier. C'était…, euh, il y a des années.

Kit grogna de rire. C'était manifestement elle qui avait poussé ce grognement, la fois précédente.

— Ne t'en fais pas. C'est une tête sans cervelle. La plupart sont comme ça.

— Ah, dis-je, revenant à mon vocabulaire époustouflant.

— Tout de même...

Elle haussa les épaules.

— ... ça reste nul, pour ton père. Désolée.

— Ouais.

Apparemment, j'étais encore coincée au stade des monosyllabes, que j'agrémentai d'un air de tristesse lasse. J'endurai la dernière période sans énergie. En arrivant à la maison, j'aurais pu manger les meubles. Pour les jours à venir, j'aurais à manger d'énormes petits déjeuners, jusqu'à ce que j'aie un meilleur plan pour les repas du midi. Maman avait laissé un message. Elle allait faire visiter des maisons jusqu'à 19 h. Alors, je me coupai un morceau de salami et terminai le fromage. J'aurais pu ensuite finir de défaire mes boîtes dans ma chambre, commencer mes devoirs ou me reposer.

Me reposer ?

J'aimerais encore mieux recevoir un traitement de canal. Se reposer n'est pas une option, lorsqu'il faut vivre avec une montagne de secrets. Le problème en ce qui concerne les secrets, c'est qu'on se réveille effrayé et qu'on se couche effrayé. Entre les deux, il y a habituellement assez d'action pour se tenir le cerveau occupé et penser un moment à autre chose. Mais dès que le cerveau n'est plus sollicité, tout revient en un tourbillon. « Ai-je tout gâché ? J'aurais dû dire... Était-ce un regard soupçonneux ? Le sait-elle ? » La solution est de s'occuper le cerveau à comploter, à planifier. Il faut le tenir occupé, occupé, occupé. Un cerveau au repos, très peu pour moi !

J'arrachai d'un coup sec une feuille de ma reliure à anneaux.

Le 17 septembre 1974

Cher papa,

Je suis si désolée de ne pas t'avoir écrit avant. Je sais que je n'ai jamais mis autant de temps. Désolée, désolée, désolée, d'accord ? C'était ma première journée d'école, aujourd'hui, et tu sais quoi ? Elle s'est généralement bien déroulée. J'ai certainement tout compris, je crois. Je suis vraiment tes conseils, cette fois-ci — « reste à l'affût et saisis toutes les occasions ».

L'endroit est vraiment élégant. Maman est au paradis. Elle t'en parlera elle-même, quand tu appelleras. Ne t'inquiète pas. C'est absolument la dernière fois que je change d'école. Cette école est la bonne. Il faudrait une explosion nucléaire, pour me sortir de là. Je ne déménagerai pas une autre fois. Je ne veux pas avoir l'air de..., euh, de tout ce que ça pourrait avoir l'air. Tout n'est pas de ta faute. Pas vraiment. Hum, en réalité, ça l'est un peu, en fait, tout bien considéré. Évidemment que c'est de ta faute et que c'est plus ou moins la raison pour laquelle j'ai dû trouver les Blondes, être si alerte et me rappeler comment nous t'avons tué, et déjà je pense que tu es mort de 16 manières différentes à des moments différents. Et qui peut s'y retrouver ?

Je roulai la feuille en boule et la lançai loin de moi. Elle rebondit sur le mur et tomba dans la poubelle. Tir parfait. C'est bien, les essais pour le basketball commencent la semaine prochaine.

Bon, je devrais défaire une boîte, faire mon devoir de français, puis prendre mon ballon et marcher jusqu'au terrain de basket de l'école primaire au coin de la rue. Dépenser de l'énergie. Je pourrais écrire à papa la semaine prochaine. Ce serait mieux.

Ouais.

Les choses se seraient tassées d'ici là, et je pourrais vraiment l'aider à se sentir bien sur tous les plans.

Merde.

Je pris le ballon et sortis.

Il y avait plus de vapeur dans notre cuisine que dans un sauna Vic Tanny. Le centre de conditionnement physique Vic Tanny est un gymnase super-ultra-chic doté de rien de moins que les meilleurs appareils d'amaigrissement de pointe. J'avais coutume de toujours m'y rendre avec Claire O'Conner. Sa mère, qui travaillait à temps partiel à cet endroit, nous y faisait entrer en cachette tous les mardis et jeudis soirs. Nous buvions des *root beers* froides comme de la glace et nous transpirions nos toxines. La tâche principale de madame O'Conner consistait à distribuer des serviettes propres aux grosses dames riches, qui se rendaient ensuite en se dandinant jusqu'aux appareils à grosses courroies dont le « clac, clac, clac » imitait le bruit de pales d'hélicoptère. Ces appareils étaient censés faire disparaître d'un « clac » toutes leurs petites chairs flasques, pendant qu'elles inhalaient cet air caractéristique à senteur d'eucalyptus du gymnase. Je ne peux toujours plus ouvrir un pot de Vicks VapoRub sans penser à Claire.

Claire était ma meilleure amie, sans aucun doute du type à-la-vie-à-la-mort, on-ne-deviendra-jamais-flasque. C'était à l'époque où maman et moi inventions que papa était « parti » — non pas en voyage d'affaires ni quoi que ce soit d'autre. Je ne crois pas que ni l'une ni l'autre n'étions familières avec ce concept, dans ce temps-là. Il était donc simplement « parti ». Puis, l'oncle de Claire, qui est gardien de prison au pénitencier de Kingston, m'y a vue un samedi avec ma mère. C'était à la fin de ma sixième année.

Je n'y suis jamais retournée.

Ni au Vic Tanny.

Ni au pénitencier.

C'était l'année des émeutes de Kingston et des bouleversements qui s'ensuivirent. Mais là n'était pas la véritable raison. Personne ne me reverrait dans un endroit semblable. Jamais.

Je n'ai plus eu de meilleure amie non plus.

Quoi qu'il en soit, la cuisine était pleine de vapeur, parce que maman s'échinait compulsivement à frotter et à ébouillanter tous les chaudrons, cuillères, verres et tasses qu'elle sortait de leur boîte. J'emploie le terme « compulsivement », parce qu'on avait fait exactement la même chose au départ, quand on avait tout empaqueté avant de quitter notre appartement de l'avenue Montrose. Nous ne possédions pas beaucoup de choses, mais le peu que nous possédions était aussi propre qu'il était possible de l'être. J'allais rappeler à maman qu'il faudrait s'entendre sur la date de la mort de papa, quand je me suis soudainement rendu compte que j'étais complètement nulle dans l'art de mentir. En fait, je m'améliore, mais compte tenu de toute mon expérience dans le domaine, je devrais maintenant être irréprochable.

Peut-être faut-il un type d'intelligence particulier, pour bien mentir. C'est comme si je n'arrive pas à maintenir de l'ordre dans mes mensonges, une fois qu'ils sont sortis de ma bouche pour vivre de leur propre vie. Il faut savoir que ce que l'on croit être un seul et unique mensonge nécessite en fait en arrière-plan toute une série d'autres mensonges justificatifs.

Une minute donnée, on ment, le regard doux comme de la soie, et la minute suivante, on se fait prendre les culottes baissées. C'est arrivé. D'accord, pas à moi, mais à Angie Hepburn, alors qu'elle sautait à deux cordes durant la récréation à Parkdale. Mais je savais exactement comment elle se sentait.

— Ton linge à vaisselle est complètement détrrrempé.

Maman voulait vraiment que tout reluise comme un sou neuf. Elle me lança un linge sec en soupirant profondément. On aurait dit que j'avais tout essuyé avec mes manches.

Notre vaisselle est dépareillée. On peut être 16 à table le soir, mais il n'y aura pas deux plats identiques. Tante Eva dit que nous avons de la porcelaine prestigieuse de vedette de cinéma. Notre vaisselle vient d'Allemagne, de Hongrie, d'Italie et même de France. Chaque plat est illustré de roses et de boutons d'or, de moulins et de paysages champêtres, d'enjolivures dorées ou de singes bleu royal se pourchassant. Aucune tasse ne va de pair avec sa soucoupe, mais on se nourrit l'intérieur juste à les regarder. Je crois que mes histoires sont du même ordre. Elles sont adorables et font en sorte que chacun se sente bien, comme les dames au parfum Crabtree & Evelyn. Mes histoires flottent, et tous les petits détails épineux s'arrangent d'eux-mêmes.

Papa raconte de bonnes histoires. En fait, papa raconte aussi de bons mensonges, mais c'est le seul d'entre nous qui excelle aux deux. C'est parce qu'il est un poète — qu'il était un poète. Il est aussi alcoolique — il était alcoolique. Ils ne le laissent pas boire de whisky, à Kingston. Maman dit que c'est là le seul bon côté dans tout ce désastre. Il faut dire qu'il n'y avait pas de soûlon plus gentil que papa. Tout le monde le dit. Et papa n'est pas un meurtrier — pas un meurtrier très important, en tout cas. Ils ne laisseraient pas les meurtriers très importants travailler à la bibliothèque de la prison.

Ce n'était même pas pour meurtre qu'il avait été accusé ; ce n'était que pour homicide involontaire, et papa avait à peine pris part à l'assassinat. Les principaux assassins étaient le fou Ivo Zultic et ses amis serbes cinglés. Avant que les policiers n'arrivent au bar, cette nuit-là, les Serbes avaient eu le temps de mettre la chaise, c'est-à-dire l'arme du crime, dans les mains de papa. Bien sûr, papa était à ce moment-là évanoui, et il n'a pas pu par la suite infirmer ou confirmer quoi que ce soit, même si, comme je l'ai dit, papa était plutôt bon menteur. Une chose est sûre, toutefois : le pauvre vieux Miro Katanic était bel et bien mort, et papa ne s'était pas aidé en insistant pour dire que le monde se porterait beaucoup mieux avec un Albanais en moins.

— D'accorrrd, alorrrs, dit maman en me donnant un coup de linge à vaisselle. On devrrrait chasser cet homme de notre tête, quand on se lave les cheveux[4].

— Hein ?

— *South Pacific*, Rossano Brazzi et Mitzi Gaynor.

Maman imaginait toujours une belle scène, lorsqu'elle pliait les linges à vaisselle.

— Sophia, tu penses toujourrrs à papa, quand on lave. Assez pensé et lavé pourrr aujourrrd'hui ! Sorrrs. Va quelque parrrt. Va voirrr monsieur Kostakis, Mike, à prrropos de cet emploi au restaurrrant.

Ah, ouais.

Maman a découvert Mike, propriétaire du restaurant Chez Mike, grâce aux bons soins de la communauté bulgare. Hum, pas de toute la communauté comme telle, puisqu'on ne peut pas, apparemment, faire partie de la communauté bulgare si votre conjoint est un meurtrier polonais.

Être Polonais est impardonnable.

---

4. N.d.T. : Traduction libre de *I'm Gonna Wash That Man Right Out Of My Hair,* titre d'une chanson interprétée dans le film *South Pacific,* sorti en 1958.

Quoi qu'il en soit, l'intermédiaire aura été Elena, la femme de Mike, qui est aussi Bulgare et marginale, car elle s'est mariée sans réfléchir à un Macédonien, Mike en l'occurrence. De ce que je constate, la communauté bulgare marginale est tricotée plus serrée que la communauté traditionnelle. Le restaurant Chez Mike est en fait à deux coins de rue de l'école, et c'est un des endroits préférés des sportifs et des BCBG. Il y a des mois, quand maman ne faisait que rêver de ce quartier, Elena lui avait dit que Mike accepterait « assurément, certainement, sans aucun doute » de me rencontrer pour un emploi possible les samedis. Les samedis élimineraient cette obligation dégoûtante d'avoir à servir mes camarades de classe. Roulement de tambour pour cette brillante manigance !

Soudainement, je brûlais d'envie de sortir.

— Ouais, bien sûr, bonne idée.

Je fis un signe de tête. C'était aller voir Mike ou me reposer. Je me dirigeai vers la porte.

— Il pleut, précisa-t-elle. Mets un beau pantalon et prrrends un billet d'autobus. Mon parrrapluie est dans le placard.

— Ce n'est qu'une petite bruine, répondis-je. Ce sera terminé avant que je sorte de l'ascenseur.

— Sophia, prrrends le…

— Bye.

J'étais trempée jusqu'aux os, à mon arrivée au restaurant Chez Mike. La douce bruine s'était transformée en un déluge biblique sur l'avenue Mount Pleasant, puis en grésil deux coins de rue plus loin. Je fis un vain effort de repeigner mes cheveux dégoulinants en ouvrant la porte. Je fus accueillie par l'arôme réconfortant des patates et des œufs frits, de la graisse et de la fumée de cigarette. Le restaurant, mis à part la présence de celui qui allait devenir mon futur employeur, était vide.

— Euh, bonjour, monsieur. Êtes-vous... ? Vous êtes sûrement monsieur Kostakis.

Un grand homme chauve, de la taille d'une Volkswagen, se retourna. On aurait dit qu'il s'était attaché une nappe à la taille en guise de tablier. Il commença à rigoler et à secouer la tête en me voyant. Puis, il se frotta vigoureusement le visage dans ce qui devait s'avérer une malheureuse tentative visant à cesser de rire. Dieu merci, je ne pouvais pas me voir.

— Désolé, jeune fille, dit-il en souriant toujours. Je m'appelle Mike. Il n'y a pas de monsieur, ici. Tu t'es fait mouiller un peu, n'est-ce pas ?

Ricanements étouffés.

Un éclair déchira le ciel violet et illumina les fenêtres du restaurant, suivi d'un coup de tonnerre qui sembla briser le trottoir en deux.

— Sophie, dis-je, comme si mon prénom allait tout expliquer.

Il regarda mes jambes trempées et me lança un torchon plutôt propre.

— Essuie-toi. Tu veux du café, jeune fille ?

— Sophie, lui rappelai-je.

Je ne bois pas de café normal de style anglais ; ça goûte l'eau de vaisselle. Je ne bois que du café turc, foncé, épais et très, très sucré. Je déteste le café normal.

Ça ne se déroulait peut-être pas très bien.

— Sophie Kandinsky, vous voyez, monsieur, euh… Ma mère… ?

— Aaah !

Il se frappa la tête si fortement avec sa main qu'il en perdit la cigarette qui pendouillait à sa lèvre inférieure.

— Sophia ! Pourquoi tu ne le disais pas ? Tu es la fille de Magda !

— Oui, monsieur, répondis-je en commençant à m'essuyer les jambes pour pouvoir m'asseoir au comptoir, sur lequel il avait déposé mon café. Oui, monsieur, c'est moi, et j'espérais… Eh bien, monsieur, je…

— Ne dis plus ça, jeune fille.

Je laissai tomber le torchon.

— Euh, ça, quoi, monsieur ?

— Ça. Je ne suis l'homme de personne et le monsieur de personne. Juste Mike. Compris ?

— Oh. Désolée.

— Ne t'excuse pas non plus.

Bon, j'avais peur de dire le moindre mot, maintenant.

Il secouait toujours la tête.

— Donc, tu es Sophia ! Mais oui, bien sûr. Tu es le portrait tout craché de ton vieux, sauf pour le teint de ta mère, évidemment. De belles personnes, dans ta famille, dit-il en ajoutant du café dans ma tasse déjà pleine. Il a eu une sale condamnation, jeune fille. Ne pense pas que nous ne le savons pas tous. Tout le monde dans toute la ville sait très bien que Slavko Kandinsky ne ferait pas de mal à une mouche. Merde, la plupart du temps, il était trop soûl pour même *voir* la mouche. Ne le prends pas mal, jeune fille, mais il n'y a pas de plus gentil soûlon. Un type qui se tient debout.

J'avais oublié. Il savait. Évidemment qu'il savait. Toutes les communautés — polonaise, bulgare, serbe, croate, hongroise et albanaise — de Toronto étaient au courant. En y pensant bien, ça fait tout un tas de gens qui se promènent avec mon lourd secret bien gardé.

— D'accord, fis-je d'un signe de tête. Merci, mais... Euh, Mike ? C'est que..., eh bien, à propos de papa et...

— Bois, jeune fille. Ça va refroidir.

Mike me fit un sourire. Ses yeux en demi-lune disparaissaient dans ses rides et ses pattes-d'oie. Les yeux en demi-lune sont les plus beaux qui soient. Papa avait de parfaits yeux en demi-lune.

Je le crois, du moins.

— Vous voyez, à propos de papa et de sa... de notre situation actuelle...

— Jeune fille, dit-il en tapotant sur la soucoupe. Expire, veux-tu ? Je suis au courant de tout ça et je sais tenir ma langue. Demande à n'importe qui, à propos de ma langue.

Je me penchai, enlignai ma bouche sur le rebord de ma tasse et aspirai bruyamment une gorgée. Ça goûtait le Drano.

— Il est bon, dis-je.

— Merci, c'est ma recette secrète. Écoute, jeune fille, je ne plaisante pas. On pourrait m'écraser les couilles dans un étau qu'on n'obtiendrait pas un mot de ma part ; tu vois ce que je veux dire ? Tu peux compter sur mes couilles. Compris ?

Beurk, beurk, beurk.

Mike se versa aussi du café.

— Je me souviens d'avoir entendu Elena raconter que tu aides ta mère depuis l'âge de neuf ans, lorsqu'elle offre son service de traiteur.

— Nous le faisons encore parfois, dans les périodes creuses du marché immobilier, parce que maman a abandonné les produits Mary Kay quand papa… Vous connaissez la suite.

Je pris une autre gorgée de café. Il n'était pas si mal, maintenant qu'il était presque froid.

— J'ai surtout aidé lors de mariages, mais aussi à l'occasion de quelques bar-mitsvah. Je peux servir, desservir, mettre…

— Je t'engage, jeune fille. Trois dollars l'heure, plus les pourboires.

— Pardon ?

— Tu es engagée.

— Oh ! Bon sang, merci, super ! Dites à madame…

La règle du prénom s'appliquait-elle aussi à sa femme ?

— Dites merci à Elena.

— Elena !

Il cracha sur le plancher. Étant de l'autre côté du comptoir, je ne pouvais pas voir le résultat par terre ni rien d'autre, mais il avait vraiment craché.

— Elle n'existe plus.

— Mon Dieu. Je suis si désolée. Je ne savais pas. Maman ne m'avait pas… Comment est-elle morte ?

Il alluma une cigarette avec le mégot de la précédente.

— Si seulement j'étais si chanceux.

— Euh, je crois que je ne…

— Il y a deux mois, elle a ramené son gros derrière dans le trou de bourbe qu'est son village bulgare. Je l'ai sortie de cet égout il y a 18 ans, je lui ai offert une belle vie, tu vois ?

Je fis vigoureusement signe que oui.

— Et pendant 18 ans, elle n'a cessé de se plaindre et de pester qu'elle était loin de chez elle. Elle disait qu'ici, ça la tuait.

Il me versa encore du café.

— C'est terrible. Assez de café, merci. Tout simplement terrible, pauvre Elena.

Il continua à verser.

— Pauvre Elena ?

Je jure qu'il me menaçait de la cafetière.

— Pauvre Elena ?

Lorsqu'on m'en donne l'occasion, j'aime bien faire un effort surhumain pour me tirer dans le pied.

— Je lui souhaite de pourrir sur une bûche pleine de vers ! continua-t-il.

— Ouais, dis-je en hochant la tête, parce que, euh, une bûche ordinaire serait trop bien pour elle, qui n'a pas su se montrer reconnaissante ni rien.

Il sembla se calmer.

— C'est en plein ça, jeune fille. De la gratitude, comme si j'en avais reçu. J'ai eu 18 ans de reproches, voilà ce que j'ai eu. Et comme remerciement ? Un règlement de divorce m'accordant le privilège de soutenir financièrement un village entier infesté de poux, c'est ce que j'ai eu.

— Ouah, grognai-je avec sympathie. C'est presque aussi injuste que l'histoire de papa.

Ces mots eurent pour effet de ramener Mike à la raison.

— Non, dit-il en secouant la tête. Ce n'est pas aussi injuste que ça.

Mike regarda sa montre et fronça les sourcils en voyant la pluie.

— Il est 16 h 30, presque l'heure de fermer. Il ne vient plus grand monde, après 15 h. Que dirais-tu si je nous faisais des œufs aux frais de la maison et que je te déposais ensuite chez toi ? Magda me tuerait, si je te laissais sortir par un tel temps.

— Ce serait parfait, absolument parfait.

Mike lança une tranche de bacon sur le gril et il commença à casser les œufs.

— Euh, jeune fille, ton père…

De dos, avec à la main sa grosse spatule plate en acier, il retournait les aliments sur le gril.

— On l'a tué.

Il hocha la tête et poursuivit.

— C'est ce qu'il fallait faire. De quelle façon ? Juste pour que je sache, tu sais.

— Eh bien, dis-je en prenant une grosse gorgée de café. C'est justement là la question. Je repensais à toute cette semaine en dépaquetant, ce matin…

— Ouais ?

— … et jusqu'à maintenant, je crois que nous lui avons fait exploser la tête, attraper un cancer du cerveau et peut-être subir une crise cardiaque. Il y a une crise cardiaque, quelque part là-dedans. Vous voyez, c'est toujours ça ; ce sont les petits détails…

Mike jura en regardant ses œufs, puis se retourna.

— Les artères, dit-il.

— Les artères ? dis-je.

— Si, les artères.

— Les artères peuvent faire tout ça ?

— Bien sûr, tout est relié par les artères. C'est un truc important, les artères.

— D'accord, dis-je en hochant la tête. Ce seront les artères, alors. Je déteste tout ça.

Le café tournoya dans mon estomac vide.

— Quoi ?

Mike s'étira pour prendre quelques assiettes et les essuya avec son tablier crasseux. Contrairement à maman, Mike avait de toute évidence étudié à l'école d'hygiène Les-germes-nous-rendent-plus-forts.

— Qu'est-ce que tu détestes ? Le tuer ?

— Oui, euh, non. Oui, bien sûr, mais c'est l'histoire des mensonges qui m'embête. Je pensais à ça, et non seulement je ne suis pas bonne pour mentir, mais mentir est mal, faible, diabolique. Les menteurs ne sont pas des gens bien. Tout le monde le dit, tous les livres, l'église, tout le monde, mais vraiment tout le monde dit… et, bon, je mens, et tout le monde…

— Eh bien, dans ce cas, *tout le monde* est hypocrite, jeune fille. Les gens ne vivent pas dans la réalité. Ils vivent dans un lieu de conte de fées. Ils n'ont pas vécu ce que ta pauvre mère et toi avez vécu, c'est diablement certain. Un mensonge…, dit-il en agitant une assiette vide, un mensonge sert à t'assurer une place ; c'est un « espace réservé », jeune fille. Il prend soin de toi jusqu'à ce que tu — ou dans ce cas-ci, jusqu'à ce que le monde autour de toi — puisses mieux affronter la vérité.

Hé, ça avait presque du sens. Ouah, un espace réservé. Quel concept ! Ce n'était pas de ma faute, c'était celle du monde. D'accord.

Je ne faisais que m'assurer une place.

Ou quelque chose comme ça.

Lorsque Mike me reconduisit à mon immeuble, il dit :

— Je te reverrai donc samedi prochain, si ce n'est pas avant. Huit heures pile. Les célibataires viennent tous prendre leur petit déjeuner à 8 h 15, les petites dames âgées à 9 h, et l'équipe de football, après son exercice d'entraînement, vers 11 h 30.

— J'y serai, gazouillai-je. Vous ne le regretterez pas. Merci mille fois pour tout, Mike.

Il grogna.

Je m'envolai presque en direction de l'ascenseur. Des espaces réservés, ouais. Je pénétrai dans la cabine et appuyai sur le numéro 17. Ça alors. Des espaces réservés, je pouvais vivre avec ça. Les portes se refermèrent doucement. J'adore les ascenseurs, et le nôtre était très chic, avec des panneaux de bois et des portes en faux cuivre ayant un effet de miroir. Les ascenseurs et les espaces réservés sont des genres de choses chics pour ma nouvelle vie populaire et pleine de chic.

Minute, papillon !

Avait-il dit « équipe de football » ?

Les choses n'allaient pas si bien, entre les Blondes et moi. Pas vraiment mal non plus, si ce n'est qu'après avoir tiré le gros lot dès le départ en tombant sur elles dans mon groupe d'accueil, je ne les vis plus beaucoup par la suite. J'étais arrivée le mercredi, je n'avais pas d'anglais le jeudi, et nous avions eu une ridicule assemblée le vendredi au lieu du cours d'anglais. Sarah sécha tous les cours de biologie, et Kit sembla éviter religieusement la classe d'économie familiale.

Chaque dîner se transformait en une gestion de crise pour mangeuse solitaire. J'avais déjà vécu ce phénomène de l'élève esseulée dans les cinq écoles précédentes, mais sans la portion gestion. J'apprends peut-être à la dure, mais j'apprends. Par exemple, j'ai maintenant la certitude que, dans un premier temps, il ne faut pas se faire prendre à traîner, c'est-à-dire se cacher, seule, dans les toilettes des filles, et que, dans un deuxième temps, il ne faut absolument, mais absolument pas se faire prendre à manger, par exemple, un sandwich au poulet dans l'une des cabines. La rumeur de l'ingestion d'un sandwich au poulet à cet endroit se répand plus rapidement dans une école qu'une alerte d'incendie. Si vous pensiez que la vie pouvait être dure au point de vous obliger à manger un pathétique sandwich dans une cabine de toilette, sachez qu'elle devient ensuite un véritable enfer.

Ma routine hautement perfectionnée consistait à dévorer une barre de chocolat Snickers tout en me rendant d'un pas déterminé à l'une des quatre salles de bain pour filles. Il y en avait deux au rez-de-chaussée, une au deuxième et une au troisième étage. Me cacher aux yeux de tous à la bibliothèque n'était pas une option, du moins pas pour les premières semaines, qui comportent généralement peu de devoirs — ce genre de choses font instantanément de vous un rejet fini. Je calculais méticuleusement le moment et le nombre de visites par salle de bain. Je m'assurais aussi de toujours avoir l'air de chercher mon brillant à lèvres ou ma brosse à cheveux *avant* d'ouvrir la porte. Encore une fois, et c'est là un élément crucial, c'était pour avoir l'air d'une personne déterminée, et non d'une personne qui se cache.

Au moment de l'appel des noms le lundi matin, l'idée d'affronter une autre semaine de dîners aux toilettes suffisait à me donner des tics. Je devais tout de même faire bonne impression, durant les cinq pénibles minutes au cours desquelles Phil le drogué prenait les présences. « Souviens-toi d'avoir l'air cool, de sembler à la fois amicale et détachée. » En faire trop donne l'air d'être désespéré, et avoir l'air désespéré est comparable à manger son sandwich aux toilettes. C'est une autre des choses dont je suis certaine.

Adopter une attitude amicale détachée constitue un véritable défi, pour une personne comme moi. J'adore parler ; j'ai besoin de parler. Avec cette attitude amicale détachée et ma mère qui travaillait la plupart des soirs, c'était comme si j'avais fait vœu de silence. Le père McKenna disait toujours que j'étais née exubérante. J'ai pensé pendant des années que je débordais d'une énergie irrésistible.

Ce n'est pas le cas.

Je ne suis que débordements.

Quoi qu'il en soit, à l'idée de devoir à la fois retenir mon exubérance *et* m'arranger pour ne pas être surprise dans les toilettes, j'étais habituellement déjà devenue folle avant la fin des présences.

La plupart du temps, nous ne prenions même pas la peine de nous asseoir ; nous tournions en rond, tandis que Phil le drogué disait nos noms et répondait à chaque « présent » par un « super » ou un « génial ». Ferguson Engelhardt me posait problème depuis le deuxième jour. Il me reluquait chaque matin, et haletait chaque fois que je disais « présente ». Dans une école qui fourmillait de sportifs et de BCBG, d'accros aux Topsiders[5] et aux Khakis[6], Ferguson était quant à

5. N.d.T. : Marque de commerce de souliers mocassins.

6. N.d.T. : Marque de commerce de pantalons.

lui monsieur Disco, le prince du polyester. Dès que j'étais à portée de voix, il fredonnait l'indicatif musical du film *Les nuits rouges de Harlem*, comme s'il allait m'attirer à lui dans un élan d'amour irrésistible. Il me fallait déployer beaucoup d'énergie psychique précieuse, pour me débarrasser de lui.

Au moment où Phil nous dit au revoir de la main pour le reste de la journée, je reçus un avion en papier sur la tête. Ferguson, bien sûr. Quand même, un avion en papier ? Il était couvert de messages écrits à la main. Après m'être assurée que Ferguson regardait, je chiffonnai d'une main l'avion de papier jusqu'à en faire une boulette, que je lançai dans la poubelle de Phil le drogué, non sans qu'elle eût d'abord rebondi sur le bureau du prof.

— Beau tir, pouffa Kit. Tu joues au basket ?

— Ouais, répondis-je en oubliant de faire un haussement d'épaules évasif. Cinq ans de ligue de quartier, en plus de jouer à l'école, bien sûr.

— Cool, commenta-t-elle en semblant me jauger, littéralement, sous tous les angles : mon poids, ma taille, tout. On ne joue pas dans les ligues de quartier, ici — pas besoin.

Et elle partit.

Stupide, ce que je pouvais être stupide ; évidemment qu'ils n'en ont pas. Ces ligues de quartier sont propres aux quartiers pauvres. Ils sauraient maintenant tous que je suis une sportive de basse classe ayant la prétention de vouloir être l'une des leurs. « Bravo, Sophie. »

J'ai été tiraillée durant tout le cours d'histoire. Ferguson Engelhardt était, lui aussi, dans ce cours. Contrairement aux Blondes, ce cher Ferguson était dans presque tous mes cours. Le mieux que je pouvais faire était de m'asseoir deux pupitres devant lui. Et encore, je pouvais sentir ses petits yeux de fouine me percer le dos, durant la discussion sur la gloire de l'Empire britannique. Après le cours, je décidai de visiter ma grande amie la salle de bain des filles pour y manger une ou deux barres Snickers, question de me ressaisir avant le cours de biologie. Chemin faisant, je fouillais dans mon sac pour trouver mes provisions cachées, quand j'entendis « Luke ! Attrape ». Je me tournai juste à temps pour apercevoir de dos un garçon saisissant au vol un ballon de football juste avant de retomber ensuite sur moi.

Il avait un très joli dos.

Je restai debout, mais mes Snickers, toutes les cinq, se retrouvèrent au sol. Le garçon se retourna, puis jeta presque simultanément un coup d'œil à mes Snickers et à moi-même.

— Oh, désolé, jeune dame aux Snickers.

Il les ramassa toutes les cinq avec une grâce presque ridicule. Il s'appuya ensuite contre la porte de la salle de bain et répartit les chocolats dans ses mains, comme s'il me les offrait gentiment.

Belles mains.

— Ce sont aussi mes favorites.

Il se lécha la lèvre inférieure.

Belles lèvres.

— Euh, dis-je.

— Je vais te les redonner si tu me dis ton nom.

Et je l'aurais fait ; ça, oui. Si seulement je m'en étais souvenue.

— Euh.

J'entendis au loin quelqu'un dire : « Allons-y, Luke. L'entraîneur est en train de piquer une crise. »

Luke rassembla les barres dans une main et les déposa doucement dans mon sac ouvert.

— À plus tard.

Il me fit un clin d'œil.

Ma peau était brûlante.

— Euh, dis-je.

Je regardai son dos, alors qu'il s'éloignait dans le couloir à grandes enjambées avant de disparaître dans la cage d'escalier. Les portes se refermèrent derrière lui.

— Sophie, dis-je en direction des portes. Je m'appelle…, euh, Sophie.

Qu'est-ce qui venait de se passer ?

Je me préparais à m'infliger une séance de jurons bien sentis devant le miroir, lorsque Madison surgit soudain derrière moi en disant :

— As-tu un tampon, dans ton sac ?

Mes yeux firent le tour de la pièce vide.

— Est-ce que j'ai déjà traîné quelque chose d'utile avec moi, genre ?

Cette réponse venait de Kit, installée dans la deuxième cabine.

— Tu sais très bien que c'est plutôt moi qui compte sur toi pour tous mes besoins en hygiène personnelle, Madison. C'est le prix à payer pour le leadership.

Je m'éloignai d'un pas nonchalant jusqu'au lavabo, en faisant semblant d'être trop loin pour écouter. C'était un de ces gigantesques lavabos que l'on fait fonctionner en appuyant le pied sur un levier qui fait jaillir l'eau sous forme de douche semi-circulaire. Je m'étirai jusqu'au distributeur de savon. Son contenu se déversa entièrement dans mes mains. En quelques secondes, j'avais maintenant l'air de me préparer pour une chirurgie.

Kit actionna la chasse d'eau.

— Par contre, j'ai un paquet complet de gommes à la menthe contre la mauvaise haleine.

— Oh, super, dit Madison, je vais pouvoir m'en mettre dans les sous-vêtements, pourquoi pas ?

Elle se tourna vers moi. Il y avait de plus en plus de bulles, dans le lavabo. Il s'était accumulé 45 centimètres de mousse compacte, avant que je ne songe à retirer mon pied de la pédale.

— Toi, Sophie ? Pourrais-tu aider une pauvre fille ? demanda Madison en jetant un regard méprisant à une boîte de métal. Ce distributeur de Kotex est vide depuis 1958.

Je lui aurais donné mon bras droit, ma collection entière de bagues d'humeur et de porte-encens, mais un tampon ?

— Ouf, je suis tellement désolée, Madison.

Je choisis d'y aller pour le regret sincère mais détaché, quelque peu noyé par le lavabo rempli d'une mousse maintenant hors de contrôle.

— Le problème, c'est…, poursuivis-je.

Kit apparut près du lavabo.

— Ouah, qui est en train de prendre un bain moussant ?

— Le problème, répétai-je, c'est que je n'ai pas encore eu mes règles jusqu'à maintenant.

Était-ce bien moi qui venais de parler ? Ça ne pouvait être que moi. Les deux me dévisageaient, bouche bée.

— Je sais bien que c'est tard, et tout et tout, mais c'est comme ça, dans ma famille, pour ainsi dire.

« Mettez-moi une chaussette dans la bouche, quelqu'un. »

— Ma mère — « maman », comme je l'appelle —, eh bien, elle a eu ses premières règles à 17 ans !

— Pas possible ! s'exclama Madison.

— C'est pourtant vrai. Mais ce n'est pas si étrange, parce qu'elle vient de la Bulgarie…

« Alerte au bafouillage, alerte au bafouillage. »

— C'est un pays communiste qu'elle a fui, et les communistes ont beaucoup d'ennuis liés à la nutrition, à l'anglais et à plein d'autres choses, vraiment.

Madison hochait la tête en signe d'approbation.

— Ouais, mon grand-père en parle tout le temps. Les communistes sont le mal incarné.

— Ouais, dis-je en secouant la tête, moi aussi. Les communistes ont comme tout retardé et supprimé, vous comprenez ?

De quoi est-ce que je parlais ? Je m'étirai pour prendre une liasse de serviettes en papier brun et je commençai à éponger les bulles.

— Eh bien, dit Madison, si j'étais toi, je prierais pour ne pas les avoir avant mes 17 ans non plus.

Je n'étais en train que d'éponger des bulles, pour l'amour de Dieu. Si quelque chose pouvait justifier un internement, c'était ça. Je me forçai à arrêter.

— Ouais, ce n'est qu'un emmerdement, ajouta Kit en s'appliquant une couche de fard à joues Bonne Bell.

— Effectivement, acquiesça Madison de la tête. Tu ne sais pas à quel point tu es chanceuse.

Ouah. Les serviettes en papier se désagrégeaient dans mes mains, mais ça m'était égal. C'était la première fois que d'autres filles ne me faisaient pas sentir comme une bizarrerie de la nature ayant manqué le bateau magique de la féminité.

— Tu parles exactement comme maman.

— Eh bien, au moins, elle ne te raconte pas ces idioties sur les « joies exquises » de la féminité, comme ma mère avait l'habitude de faire. Moi, je compte les jours jusqu'à ma ménopause.

— Kit !

Madison tira sur sa camisole pour la faire descendre. Je ne pouvais, comme tous les garçons de l'école, m'empêcher de remarquer qu'elle remontait tout le temps. Je me rendis compte qu'il est probablement difficile de trouver des vêtements de la bonne taille quand on mesure, genre, six pieds.

— C'est la dure vérité, dit Kit en haussant les épaules. Hé, Sarah, miss Toujours-prête doit certainement avoir un tampon.

— Tu as raison ! dit Madison. Mais je ne sais pas où elle se trouve.

Enfin, une occasion d'être utile.

— Elle est dans mon cours de bio, au deuxième laboratoire de science, dis-je en cherchant mon pot de brillant à lèvres.

— C'est vrai, merci.

Et elles disparurent.

— D'accord, dis-je aux bulles de savon. Comment ça s'est passé ?

Avant que je puisse obtenir une réponse, la porte se rouvrit. Madison y passa la tête.

— Kit dit que tu joues.

— Que je joue ?

— Au basket.

— Oh, ouais, je joue.

J'ouvris le pot. J'avais les lèvres les plus lisses au pays.

— Tu viens aux essais, ce soir ? Nous allons toutes y être.

Quoi, des Blondes qui jouaient au basketball ? Incroyable. Qui avait déjà entendu ça ? Les classes dirigeantes ne font pas de sport, sauf si on tient compte des meneuses de claque. Des Blondes qui jouaient au basketball ?

— Bien sûr, j'y serai.

— Cool. Euh, il faudra faire attention. Quelques filles de 4e et deux filles de 5e nées tardivement dans l'année pourraient s'avérer dangereuses et nuire à nos chances d'être sélectionnées. Il faudra y voir. T'embarques ? Si tu embarques, je te les montrerai.

Je voulais lui dire que ses ennemies étaient mes ennemies.

— Elles n'ont aucune chance, affirmai-je.

— Cool.

La porte se referma.

— Cool, dis-je en m'adressant au lavabo. C'est parti. Les Blondes et moi, nous voici !

— Mais tu es meilleurrre qu'elles, non ? demanda maman.

— Bien sûr, répondis-je. Mais pour des Blondes, elles sont plutôt bonnes.

Nous décortiquions les épreuves de sélection des futures joueuses de l'équipe de basketball.

— Alors, toi et tes nouvelles amies allez fairrre parrrtie de l'équipe ?

— Euh…

Je considérai mes chances. Nous étions presque 40 à prendre part à ces épreuves. Le basketball féminin était presque une religion, dans cette école. Qui l'eût cru ? Tout de suite après l'échauffement et les exercices, l'entraîneuse Allezy Atwood — comme nous l'appelions — nous répartit en quatre groupes, pour pouvoir mieux nous comparer. Les Blondes et moi étions chacune dans un groupe différent.

— Sophia, rrréponds-moi. Allez-vous toutes êtrrre choisies pourrr l'équipe ?

— L'équipe, oui, probablement, mais je dois faire en sorte que nous soyons toutes sur la première ligne, tu comprends ?

— *Ya*, bien sûrrr, dit maman en hochant la tête. La prrremièrrre ligne est toujourrrs la meilleurrre.

Elle n'avait aucune idée de ce dont elle parlait, mais personne n'aurait pu la blâmer pour manque d'enthousiasme.

— Le problème, c'est qu'il y a trois filles de 4e année et au moins deux filles de 5e années en automne qui peuvent donc faire partie de l'équipe junior d'Allezy Atwood. Elles sont grandes, rapides et intimidantes. On n'a que jusqu'à vendredi — c'est la dernière journée des qualifications — pour les en empêcher.

Maman m'embrassa sur la tête.

— Tu vas arrranger ça. J'ai de grrrands espoirs, on peut réussirrr une belle grrrosse tarrrte aux pommes, avec des espoirs grrrands comme le ciel[7].

Je grognai.

— Frank Sinatra, dans… dans…

— C'est correct, maman. Je n'ai pas besoin de savoir de quel film ça sort. Je m'en vais dans ma chambre.

Il était presque 19 h 30.

Nous étions le deuxième mercredi.

---

7. N.d.T. : Traduction libre de paroles de la chanson *High Hopes*, interprétée dans le film *Un trou dans la tête*, sorti en 1959.

Papa avait la permission d'appeler tous les deux mercredis.

Je m'en allai dans ma chambre.

Ma chambre, jusqu'à maintenant, se résumait à ceci : un sommier, un matelas, des draps, une nouvelle lampe de lecture (un cadeau de bienvenue de tante Luba), pas de table, tous mes livres et, bien sûr, le miroir — mon miroir.

Papa et Želko Vlatic, son ami croate, artiste et lunatique, avaient travaillé à sa réalisation durant des semaines. Nous avions perdu Želko, il y a deux déménagements. Maman préférait qu'il en soit ainsi, car elle aimait le blâmer pour l'ivrognerie de papa. Je m'ennuie de lui. Papa m'avait donné ce miroir en cadeau pour mes huit ans, le dernier anniversaire que nous avons passé ensemble.

Mon miroir est une vraie merveille. Demandez à n'importe qui. La glace comme telle est placée dans un cadre de 25 centimètres de large sur lequel ils avaient collé et laqué pour toujours des choses à moi. Papa et Želko, entre deux soûleries, l'avaient peint et y avaient collé des billes de cristal, des bijoux, des morceaux de poupées Barbie, des pièces de mes vieux jouets, des crayons de cire, des parties de mes bulletins (juste celles qui étaient excellentes), mes souliers de bébé, des étoiles en plâtre, des photos de nous trois, des voitures miniatures Dinky, des pièces de monsieur Patate, des rubans, des boutons de mes robes favorites, des grains de chapelet, et ainsi de suite. J'ai observé mille fois mon miroir, et chaque fois, je découvre un détail que je n'avais jamais remarqué auparavant. Il m'est arrivé aussi à l'occasion de découvrir quelque chose de particulièrement spécial, que je mettais beaucoup de temps à retrouver par la suite. C'est comme si c'était le miroir qui décidait ce qu'il voulait bien me montrer.

Je le regarde, mais je ne m'y regarde pas.

Lorsque les choses vont bien, disons au moins à moitié bien, je me regarde tout le temps dans le miroir. Une vénus aux cheveux de jais me rend mon regard. Seigneur, je suis d'une beauté à couper le souffle : une jeune femme aux yeux noirs étincelants, dont les somptueuses boucles folles de ses cheveux remuent tant les villageois qu'ils se sentent contraints à s'arrêter, bouche bée, chaque fois qu'elle daigne se déplacer. Ils chuchotent parfois à propos du duc, mon père, emprisonné à tort dans la tour. Mais ils murmurent principalement sur mon extraordinaire peau crémeuse, sur ma silhouette délicate qui témoigne de ma naissance de haut rang, et sur mon teint magnifiquement coloré qui laisse deviner l'insatiabilité de mon esprit exubérant.

Le reste du temps, je n'ai l'air que d'une maigre gamine toute en cheveux.

Je ne m'y suis pas regardée, depuis le déménagement.

Sur la glace même du miroir, tout en haut, on peut lire en lettres dorées *À ma princesse, Sophia*. Ce chef-d'œuvre est comme adossé au mur. On ne l'a jamais vraiment accroché nulle part. Il est trop gros, et plutôt ébréché en raison de tous les déménagements, mais ça va. Les parties endommagées ne se remarquent qu'à condition de savoir où elles se trouvent.

Ni le miroir ni moi n'allions déménager de nouveau.

Quoi qu'il en soit, ma chambre se résumait à cela. Et à une armoire-penderie « à en mourrrirrr, de trrrois pieds sur cinq, à deux trrringles ». Selon maman, nous devions attendre les occasions propices, afin de nous procurer des « meubles de qualité exceptionnelle ». Ce qui signifie tout simplement que même si notre appartement finira par briller de meubles exceptionnels, il est plutôt vide pour l'instant. Le téléphone sonna enfin.

Il était 19 h 48. Papa avait trois minutes de retard.

Je pris mes oreillers, fermai la porte et m'appuyai contre elle. Un son grave et agréable provenait de la cuisine. C'était maman qui riait. Son rire résonna dans la cuisine, traversa le salon avec légèreté et vint vibrer sur ma porte de chambre.

J'adore cette étape. Les bonjours. Le commencement.

— C'est parrrfait, plus parrrfait que parrrfait. Tu l'adorrrerrrais. *Ya*, *ya*, le basketball aussi. Elle fait les essais. *Ya.* Ses meilleurrres amies sont de gentilles blondes exceptionnelles. Elles s'essaient aussi. Je pense qu'elles doivent êtrrre anglicanes.

Il fallait lui donner raison sur ce plan.

— Tout serrra parrrfait. Nous avons trrrouvé un endrrroit pour nous, cet endrrroit, quelque parrrt, pourrr nous[8].

---

8. N.d.T. : Traduction libre de paroles de la chanson *There's a Place for Us*, interprétée dans le film *West Side Story*, sorti en 1961.

Seigneur. Elle en était déjà aux dernières lignes de *West Side Story*.

— Bien sûrrr qu'elle l'aime, cet endrrroit. Elle ne sait même pas à quel point elle l'aime, tellement elle l'aime.

Je pouvais imaginer maman hocher la tête en parlant.

— *Ya.* La meilleurrre amie est Madison, une grrrande fille. Sa maman est instrrruite, Slavko. *Da.*

J'avais dit à maman que madame Chandler est professeure de sciences politiques à l'Université de Toronto. Maman aime ce genre de détails. Il n'y a rien de plus exceptionnel qu'une instruction exceptionnelle, selon elle.

— *Da, da…*, elle est soit politicienne, soit scientifique, je suis un peu perrrdue, mais elle enseigne à l'univerrrsité. Une femme au trrravail, tout comme moi, alors dès le déparrrt, il y a de forrrts liens qui nous unissent.

Maman se tut un instant ; elle écoutait papa.

— *Da, da.* Ils aiment Sophia. Comment pourrraient-ils ne pas aimer Sophia ?… Hein ? Les autrrres écoles, pfft ! Les gens étaient tous des rrrustres. Ici, c'est un distrrrict exceptionnel. Quoi ? Bien sûrrr que tu es morrrt. On a dit « morrrt », et tu es morrrt.

Elle devait maintenant faire les cent pas.

— Comment ? Aaah… J'ai oublié comment, pourrr l'instant, mais Sophia le sait. Non. Ne t'inquiète pas, c'était une maladie vrrraiment grrrave ; je crrrois que quelque chose a explosé. Non, Slavko. Ne sois pas comme ça.

Et voilà.

— Non…, non, Slavko. Ça… n'a pas… S'il te plaît, ne te fais pas ça. Non, non…

Ses yeux devaient être fermés.

— Je ne veux pas, je ne peux pas le lui demander… Elle… Non, Slavko…, s'il te plaît.

Et ça commençait comme ça.

Encore une fois, comme toujours.

Elle était incapable de ne pas s'en faire.

J'avais beau tenir trois oreillers, je les serrais si fort que je sentais mes poings s'enfoncer dans mon estomac.

— Je sais, je sais, *milo.* Arrrête, s'il te plaît, ça me tue. Ne sois pas comme ça. Je vais me sentirrr mal toute la semaine… Slavko, non, s'il te plaît… Slavko ?

Plus rien.

Il avait raccroché.

J'entendis maman remettre le combiné sur son socle.

Je sens qu'elle serre les dents, se penche et tente de tout garder en elle-même. À mon avis, c'était ça, le problème de tous les endroits où nous avions habité. Tous trop petits. Même ici. On entend.

Particulièrement si on écoute.

Maman le sait, alors elle se fait silencieuse. Elle ne peut pas supporter que j'entende. Elle ouvre des tiroirs de cuisine. Elle en sort des linges à vaisselle pour s'y enfouir le visage. Quand ça ne fonctionne plus, quand elle ne peut plus se retenir, elle court à la salle de bain. Elle commence à actionner la chasse d'eau et à remplir la baignoire.

Elle fait aussi couler le robinet du lavabo.

Mais ça ne fonctionne pas.

Je peux quand même l'entendre pleurer.

C'est comme si on se noyait, toutes les deux.

Je le lui ai dit. Je lui ai dit de ne tout simplement pas répondre au téléphone. « On va sortir. » Elle devient une épave pendant des jours. « Ne réponds pas, c'est tout. » Je l'ai déjà dit.

Elle répond toujours. Je déteste ça, qu'elle réponde toujours.

Mais si elle ne répondait pas, je devrais le faire. Je détesterais ça aussi. J'ai laissé faire trop longtemps. Je n'ai pas été correcte. Elle prend tout sur elle. Pendant que maman inonde la salle de bain, je prends mon bloc de papier à lettres.

Le 24 septembre 1974

Cher papa,

Écoute, je suis désolée, d'accord ? Je sais que j'aurais dû écrire, ou répondre au téléphone quelquefois, ou que j'aurais dû aller te rendre visite, ou je ne sais trop, et c'est la raison pour laquelle je suis désolée, vraiment. Tu sais que je t'aime très fort, tu le sais, n'est-ce pas ? Pourrais-tu cependant, pourrais-tu s'il te plaît, s'il te plaît, s'il te plaît, arrêter de faire pleurer maman ? Je ne sais pas ce qui se passe exactement ; peut-être pleurez-vous tous les deux, pour ce que j'en sais. Mais je déteste ça. T'en fais-tu pour moi ? Ne t'inquiète pas. Vois-tu, comme te l'a dit maman, ça ne pourrait pas aller mieux, à ma nouvelle école. Je l'adore, tout simplement.

J'ai un professeur d'anglais formidable, et, bien sûr, madame Atwood est aussi un bon prof. On la surnomme « Allezy », parce que c'est ce qu'elle nous dit tout le temps. En tout cas, madame Atwood est en voie de devenir ma meilleure entraîneuse à vie, ce n'est pas rien. Mes nouvelles meilleures amies géniales sont les reines de l'école. Du moins, des 3e, 4e et 5e années, et même d'une partie des classes supérieures, à ce que je peux voir. ET elles jouent ! De vraies joueuses de basket ! Peux-tu croire ça ? Madison, Kit et Sarah. Comme maman te l'a raconté, Madison est la meilleure de mes nouvelles meilleures amies et elle semble adorer...

Je fis une boule de papier et réussis un lancer franc parfait dans ma poubelle. C'était mauvais. Papa dit toujours de ne jamais mentir à un menteur. Je ne pouvais pas lui mentir. Je lui écrirai quand j'aurai vraiment réussi à capter l'attention des Blondes, quand je serai vraiment devenue invincible, quand nous serons vraiment les meilleures amies et quand tout sera plus que parfait.

Bientôt.

Mes Blondes étaient bonnes.

Dieu merci.

C'était la dernière journée des qualifications, et Allezy nous avait finalement toutes placées dans le même groupe en vue d'une compétition intra-équipe. Nous jouions contre les trois filles de 4ᵉ et les deux de 5ᵉ, qui faisaient partie du groupe adverse. Dès le tout début de la partie, il était évident que les coups voleraient bas. Nous savions toutes que les deux groupes formeraient l'équipe. Nous nous battions toutefois pour la première ligne.

Madison était une joueuse de centre solide. Ce n'était pas juste en raison de sa taille ; elle faisait de bons déplacements, marquait régulièrement depuis le sommet de l'arc, en plus d'être confiante sous le panier. Sarah, à l'avant gauche, semblait flotter sur le terrain comme une danseuse du *Lac des cygnes*. Ça m'aurait rendue folle, n'eût été le fait qu'elle pouvait faire un panier de n'importe où du moment que quelqu'un lui criait « Lance ! ». Sinon, elle se contentait de faire des passes ou de cabrioler. Les deux étaient constantes à la ligne de lancer franc, où nous avons d'ailleurs pu réaliser de nombreux tirs, car, comme je l'ai dit auparavant, sur le terrain, ça jouait drôlement dur.

À l'avant droit se trouvait une remplaçante, et Kit et moi étions les arrières gauche et droit. Kit était un véritable paquet d'os, de la moitié de la taille de toutes les joueuses, sauf moi. Elle était par contre rapide de ses mains et se déplaçait comme une balle. C'est moi qui commandais les jeux. Sur le terrain, c'est ce que je fais toujours. Je ne peux pas m'en empêcher. Mes Blondes étaient bonnes, car elles écoutaient.

Les filles de 4e et de 5e étaient dirigées par leur centre, Jessica Sherman, une enragée sur deux pattes qui semblait vouloir s'en prendre à Madison. Il y avait de l'animosité entre les Blondes et la troupe de Jessica. J'en avais déduit que Jessica, par sa combativité féroce, avait été « la » fille populaire de l'école, jusqu'à ce que les Blondes n'entreprennent d'établir instantanément leur ascendance à leur arrivée en troisième secondaire. Apparemment, la grande Jessica avait de la difficulté à conserver son imperturbable sang-froid, même si elle était une année plus élevée dans la chaîne alimentaire de l'école. Les filles de 5e — inutile de le préciser — étaient encore plus amères. Elles se ruaient toutes sans arrêt sur Madison. Celle-ci savait réagir et contre-attaquait bien, surtout pour une Blonde.

Comme nous étions vendredi, cependant, elle était passablement amochée. J'avais fait ce que je pouvais, et ce n'était pas passé inaperçu, mais il était toutefois temps de jeter les gants.

Nous savions toutes que ça se jouait maintenant. C'était la première ligne ou rien. La situation se détériorait de minute en minute. Allezy était rendue violette, à force de souffler dans son sifflet.

J'avais commandé une remontée à deux que j'effectuais avec Kit. C'est à ce moment-là que je l'ai entendue. Entre deux rebonds. On ne peut plus clairement.

— Vas-y, Sophia. *Go, go, go !*

Pas vrai ! Pas à un exercice.

Les joueuses des deux équipes levèrent les yeux. Dans les gradins des visiteurs, au-dessus du terrain, se trouvaient Phil le drogué, madame Haver et quelques garçons de 5e. Maman pendait pratiquement de la rampe.

— Vite, vite, lance le ballon !

J'ai dû dire quelque chose comme quoi aujourd'hui allait être mon dernier jour.

C'était déjà assez pénible qu'elle se présente bon gré mal gré aux parties lorsqu'elle ne faisait pas visiter de maisons, mais là, bon sang, elle hurlait à pleine voix aux qualifications. Le gros visage stupide de Jessica s'illumina.

— Attention, les filles ! Une des joueuses de troisième a emmené sa petite maman !

Elaine Sawchuck se mit à faire des bruits de bébé à mon attention, alors que j'arrivais avec le ballon.

Madison me dépassa par la gauche et courut jusqu'au sommet de l'arc.

— Hé, Soph, elle est super géniale. Nos parents ne sont jamais venus nous voir à une vraie partie, encore bien moins aux qualifications...

Je l'aurais embrassée. Je fis une passe à Sarah, qui se fit immédiatement enlever le ballon d'un coup de karaté de la part d'Elaine, qui le renvoya à Jessica avant même qu'Allezy n'ait eu le temps d'approcher le sifflet de ses lèvres.

Jessica traversa le terrain d'un pas lourd avec le ballon. Madison lui décocha un regard et me donna un petit coup de coude au passage.

— Tuons-la, cette pétasse.

Ça, c'est mon genre d'équipe !

Je volai le ballon à Jessica, l'envoyai à Kit, et me rendis sous l'anneau pour appuyer Madison. Le ballon alla à Sarah, puis à moi, qui le relayai à Madison. Elle se releva, s'arquant pour le lancer, et je vis au ralenti le coude droit de Jessica s'enfoncer dans la poitrine de Madison, au moment où celle-ci retombait sur ses pieds. Madison se mit en boule, comme mes lettres pour papa. Jessica avait de la difficulté à ne pas sourire au milieu de ses taches de rousseur fluo.

Allezy soufflait dans son sifflet à s'en faire sauter la cervelle.

— Madison, chère, est-ce que ça va ? lui demanda-t-elle.

Kit l'aida à se relever. Madison retenait ses larmes.

— Désolée, chère, c'est toi qui as fait l'assaut, Madison. Jessica, deux lancers francs.

— Quoi ! ? hurla Kit.

Elle ne l'avait pas vu. Allezy n'avait pas vu le coude.

— Vous vous trrrompez, madame. Qu'est-ce que vous dites là ?

Seigneur.

— Quel assaut ? La blonde lançait le ballon, et c'est la rrrousse qui a porrrté un coup salaud.

Sur ce, maman, du haut du balcon, se tourna vers Jessica en agitant son doigt vers elle.

— Tu devrrrais avoir honte !

« Tuez-moi, quelqu'un, et faites ça vite. »

— Exactement ! cracha Kit en regardant au balcon. Je vote pour que ta mère soit la mascotte de l'équipe.

— D'accord, dis-je en expirant lentement et en secouant la tête. Mais je dois t'avertir que ça fait cinq ans qu'elle me suit aux matchs dans toute la ville, et elle ne comprend toujours rien au basketball.

— Allezy non plus, répliqua-t-elle.

Nous retournâmes sur le terrain. Madison était blanche comme une cuvette de toilette.

Jessica rata ses deux tirs. Je saisis le ballon au rebond. Kit chuchota qu'elle allait coincer Jessica.

Joueuses amateurs !

— Laissez-moi faire, dis-je.

Kit hocha la tête et retourna la passe. Madison se mit à courir en disant :

— Je peux régler mes propres…

— Allezy s'attend à ce que tu fasses quelque chose.

Je driblai jusqu'à ce que je sois parvenue tout juste avant le sommet de l'arc, regardant d'abord Allezy, puis Kit.

— Elle ne me regarde pas. Laissez-moi faire, compris ?

Elles firent toutes deux signe que oui. C'était évident qu'elles n'étaient pas convaincues, mais elles firent signe que oui.

Jessica était sur moi.

— Surrrveille-la ! Surrrveille la méchante fille, Sophia, surrrveille-la !

— Bloquez-la, bloquez-la ! criait Jessica aux autres filles de son équipe.

J'étais encerclée. Mais je ne passai pas le ballon.

— Montrrre-leurrr de quel bois tu te chauffes, Sophia !

Je fis une feinte à gauche, serrai le ballon contre moi en me penchant, le protégeant encore plus. La sueur de Jessica me dégouttait sur le cou.

— Savent-elles que ta mère a eu son congé pour la journée, espèce de bébé lala ?

J'empoignai le ballon encore plus fort. Jessica me couvrait, m'empêchant presque de respirer. Je fis de nouveau une feinte vers la gauche. Elle obliqua, elle aussi, dans cette direction. Je me relevai brusquement, projetant ma hanche et mon coude droit dans son bassin. Jessica ricocha vers l'arrière et tomba au sol. Sa tête fit un délicieux bruit sourd en touchant le bois.

Le sifflet d'Allezy déchira le gymnase.

— Faute, Jessica. Usage illégal des mains. Sophie, deux lancers francs.

Les 4e et 5e devinrent folles furieuses.

— Brrravo, brrravo, dit maman en applaudissant. Beau coup de sifflet !

Jessica dut aller reprendre ses esprits au banc pendant quelques minutes, et elle était lente comme une tortue à son retour au jeu. Les filles de l'autre équipe me laissèrent beaucoup d'espace et ne purent retrouver leur entrain. Nous étions maîtres du terrain.

Quand ce fut terminé, je ramassai mon sac de sport et courus au balcon. Je dus me tenir immobile pour un gros câlin, mais au moins, le gymnase était vide.

— Merci d'être venue, maman. Ce n'était vraiment pas nécessaire. Ce n'était que les qualifications.

— Tu as dit que c'était imporrrtant, alorrrs c'était imporrrtant que j'y sois.

D'accord, j'aurais à surveiller mes paroles, désormais.

— Lesquelles étaient les Blondes ?

— Euh, celles qui sont Blondes.

— *Ya*, c'est ce que je pensais, répondit-elle, l'air satisfaite d'elle-même. Tu leurrr parrrlais et elles te parrrlaient gentiment. Je m'en rrrendais compte d'en haut.

— Ouais, elles m'adorent vraiment. Allons-y, d'accord ? Je n'ai pas besoin de me changer.

— Non, ma douce chérrrie, déclina-t-elle en regardant sa montre. Je dois aller montrrrer deux maisons.

Deux maisons. C'était un code. Maman allait à Kingston. Nous faisions toutes deux semblant que je ne le savais pas. Elle me tendit un billet de cinq dollars.

— Va au resto de Mike et prrrends-toi quelque chose de bon pour souper, mon étoile numérrro un du basketball.

Maman n'arrêta pas de me serrer la taille ni de m'embrasser les cheveux jusqu'au terrain de stationnement. C'était quand même douloureux, vu mon degré d'épuisement, mais je ne lui dis pas d'arrêter.

Je boitillai jusqu'au resto et me choisis une table avec banquette. Juste comme j'allais prendre une bouchée de mon hamburger avec des frites et de la sauce, les Blondes entrèrent. Je fus frappée de stupeur comme par la foudre.

Mike leur lança un regard, puis me fit un clin d'œil.

— C'est correct, jeune fille, souviens-toi de mes couilles.

Beurk. Moi qui venais de me débarrasser de cette image.

— C'est ici que tu te caches ! cria Madison. Nous t'avons cherchée dans toute l'école.

— Euh, je devais… Ma mère ?

— Ah oui, dit Madison.

Elle laissa tomber son sac à dos et son manteau sur le sol et se dirigea directement derrière le comptoir.

Kit et Sarah se glissèrent sur la banquette.

— Impressionnant, Soph, déclara Kit en s'allumant une cigarette. Tu les as déjouées toute la semaine, mais aujourd'hui tu étais extraordinaire. Au fait, comment as-tu su que c'était notre table ?

Elle tendit un paquet de Rothmans à Madison.

— Mad ?

— Ouais, passe-m'en une.

Madison sortit des tasses et des soucoupes et versa du café à tout le monde.

— Mike, du café ?

— Ouais, bien sûr.

Il haussa les épaules.

Ma tête tournait. Leur table ? Elles fumaient ? Pourquoi Madison agissait-elle comme si c'était l'employée de la place ?

Kit alluma trois cigarettes d'un coup. Quelle adresse !

— Sophie ? demanda-t-elle. Une cigarette pour la fille aux meilleurs déplacements que j'ai jamais vus sur un terrain ?

— Euh, merci, mais non.

Trop téteuse ?

— J'essaie d'arrêter.

Parfois, je me fais peur.

— Bonne idée, fit-elle en hochant la tête. J'arrêterais aussi, mais je surveille ma ligne.

Sarah eut la présence d'esprit de pousser un grognement. Kit Cormier avait une taille de guêpe tout en cartilages et en tendons. Je jure que c'est uniquement par pur entêtement qu'elle était devenue une bonne joueuse de basket.

Madison s'approcha, tenant nos quatre tasses et soucoupes, ainsi que le pot à crème, de ses mains expertes.

— On a vraiment passé l'école au peigne fin pour te trouver, Sophie. Tu étais en feu !

Je haussai les épaules. J'essayais d'avoir l'air humble, mais j'exagérai peut-être, car Sarah sembla affectée et se pencha vers moi.

— Non, vraiment. Vraiment ! dit-elle en posant ses mains sur mon bras. Tu commandais les jeux, tu étais parfaite, et en plus tu as marqué 12 points !

— Eh bien…

— Hé, sais-tu quoi ? demanda Madison en se glissant à mes côtés.

— Savoir quoi ? demandai-je.

Elle sourit, montrant ainsi le résultat parfait de milliers de dollars investis en orthodontie.

— Mike ?

— Ouais, petite morveuse ? lança-t-il de l'arrière du comptoir.

— N'est-ce pas ici notre deuxième demeure, notre refuge, notre domaine ?

— Eh bien, ce n'est pas comme si je ne passais pas mon temps à essayer de faire sortir d'ici vos derrières osseux, grogna-t-il.

Madison se releva.

— Eh bien, Michael, j'aimerais t'informer que ton agréable établissement et cette table-ci en particulier seront…

Elle fit une pause. On aurait dit que Sarah et Kit allaient éclater.

— ... seront désormais fréquentés par la première ligne de l'équipe de basketball de Northern Heights !

Elle se mit à pousser des cris perçants. Nous fîmes immédiatement toutes comme elle. Je sautillais sur mon siège, et Mike nous tapait dans les mains. C'était comme si *lui-même* venait d'être accepté dans l'équipe.

— Félicitations, les filles ! C'est la maison qui offre le café.

— Je ne savais pas qu'elle avait affiché la liste si rapidement, dis-je.

— C'est pour ça qu'on te cherchait tant, dit Kit en me donnant une claque dans le dos. Et c'est principalement grâce à toi que nous avons battu les 4e et les 5e. Enfin, presque, car Elaine Sawchuck, la moins odieuse du groupe, jouera avant droit, mais Jessica — tête de pet — Sherman sera, tiens-toi bien, dans la deuxième ligne !

Encore d'autres claques et sifflements.

— Maintenant, jeunes dames, dit Madison, interrompant momentanément sa série d'impressionnants cercles de fumée, nous, les quatre fabuleuses, essaierons d'être généreuses envers Elaine, et même envers Jessica, qui vient fraîchement d'être humiliée pour le bien de l'équipe. N'est-ce pas[9] ?

— *Oui*[10] ! fîmes-nous en chœur.

---

9. N.d.T. : En français dans le texte original.

10. N.d.T. : En français dans le texte original.

Les quatre fabuleuses[11] ? « Nous, les quatre fabuleuses », ces trois-là plus moi ? Ça faisait quatre, non ? « Compte, Sophie. » Elles pigeaient toutes dans mon assiette de frites.

— Je vais en préparer d'autres, dit Mike en me faisant un clin d'œil. Je ne sais pas comment tu as fait pour te retrouver avec ces petites voyoutes, Sophie…

Il fut interrompu par des cris d'indignation.

— … mais je suppose que ça aurait pu être pire.

Il plongea un panier de pommes de terre dans la friteuse.

— Alors, comment se fait-il que tu connaisses Sophie, Mike ? s'enquit Madison.

— Ouais, ajouta Kit en se tournant vers moi. Comment as-tu su qu'il fallait venir ici ?

Mike haussa les épaules.

— La jeune fille ne vous l'a pas dit ?

La foudre me frappait de nouveau.

— Elle travaille ici.

Il se retourna et donna une tape sur la table.

— Les samedis, les filles.

— Les samedis !

Les couteaux et fourchettes volèrent en l'air.

D'accord, je ne pourrais plus en supporter davantage.

— Quoi ? Quoi ?

— Merde ! lança Sarah. Ouf, Sophie, l'équipe de football senior au complet se rencontre ici, les samedis, après son entraînement !

11. N.d.T. : Allusion au groupe musical *The Beatles*.

D'accord. Et c'était censé être une bonne chose ? Je devrais servir mes camarades d'école — les joueurs de football, même. Comment cela pouvait-il être une bonne chose ?

— Eh bien, mes chères, dit Madison. Nous devrons venir aider notre pauvre amie débordée. Chérie, personne ne verse le café comme moi. Je serai ton bras droit.

— C'est trop beau, mes chères, ajouta Kit en secouant la tête. Après tout ce temps et tous nos complots, nous avons finalement une raison légitime de venir observer les joueurs régulièrement. Jessica sera tellement jalouse.

— À votre service, dis-je.

Nous passâmes l'heure à analyser l'équipe de football, position par position. Madison s'intéressait à Dave Johnson, mais comme il était en dernière année, elle devrait agir vite. Sarah avait un sérieux béguin pour Kobey Williams, Stu Wilson, et peut-être même Don Creighton, sauf qu'il était un peu petit. Kit aimait à peu près tous les gars de l'équipe, même si elle ne pouvait pas s'investir dans ses sentiments autant que Sarah, puisqu'elle avait un genre de relation intermittente avec Rick Metcalfe, le plaqueur défensif. Je découvris que le garçon de l'épisode des Snickers s'appelait Lucas — Luke — Pearson. Apparemment, il était un receveur éloigné hors pair ; apparemment, il était en dernière ; et apparemment, il était déjà « pris ». Bon, d'accord, cela posait quelques défis. Je découvris tout ça sans leur raconter que j'avais déjà planifié les moindres détails de notre mariage — qui aurait sûrement lieu dans l'intimité, si je puis dire.

Mike déposa deux autres plats de frites presque brûlées à la perfection, accompagnées de sauce. Madison continuait à verser du café. Nous restâmes jusqu'à 19 h 30. J'étais demeurée avec elles tout ce temps, bien assise à ma place, à rire, à faire signe que oui et à faire tellement semblant de faire partie de tout ça que c'en était presque vrai.

Madison m'invita chez elle après le septième entraînement d'équipe. Mais bon, qui tenait le compte ? Lorsque nous fûmes rendues, j'essayai de faire comme si j'étais des plus habituées à la chose — c'est-à-dire entrer dans une maison qui avait l'air du British Museum. Fidèle à moi-même, je déraillai dès qu'elle ouvrit la porte.

— Seigneur Jésus, Madison, est-ce que vous dirigez un couvent ou un hôtel, pour arrondir vos fins de mois ? Je n'ai jamais rien vu de tel. Tu *vis* vraiment ici ? Mon Dieu !

Madison laissa tomber ses livres sur le plancher, genre, en plein milieu du « hall », ce qui, en jargon de manoir, veut dire « entrée ».

— Tu vois, dit-elle dans un sourire. Tu es toujours comme ça, toi, Sophie.

— Ouais, acquiesçai-je. Comme quoi, exactement ?

— Je ne sais pas, répondit-elle en haussant les épaules et en laissant tomber son manteau sur le plancher à côté de ses livres. Tu dis les choses comme elles viennent, directement, sans détour.

J'aurais été tracassée par ses propos, si je n'avais pas déjà été préoccupée à me demander ce que je devais faire de mon manteau et de mes livres. Je sais qu'« à Rome »..., etc., etc., mais je n'allais tout de même pas me convaincre de jeter mes choses par terre. Je ne voyais rien qui ressemblait à un placard. Comment peut-on être si riche et ne pas pouvoir s'offrir un placard ? Il n'y avait que ces deux espèces d'armoires géantes, comme sur la couverture du livre *Le lion, la sorcière blanche et l'armoire magique*. Entre les armoires se trouvait une table minuscule sur laquelle reposaient des bibelots en bronze. Au-dessus était accroché un énorme miroir dont la peinture or avait commencé à s'écailler.

— Rappelle-moi de te montrer mon miroir, quand tu viendras chez moi, dis-je.

— J'adorerais voir ton miroir.

Elle prit mon manteau et mes livres et les laissa tomber sur le plancher à côté des siens. Problème résolu.

Nous avions fière allure, ensemble, devant le miroir — contraste élevé, presque noir et blanc. Je conclus que les Blondes avaient besoin de moi, pour une définition claire.

— Allons dire bonjour à Fabi.

Je la suivis dans un escalier en colimaçon sans fin.

— Fabi, appela-t-elle. Fabiola ! Nous sommes là.

Un petit visage foncé apparut par-dessus ce qui devait être la rampe du quatrième étage.

— On va se prendre quelque chose dans la cuisine, d'accord ?

Fabiola lui fit un visage rayonnant. Je sais reconnaître un visage rayonnant, quand j'en vois un.

— Voici mon amie Sophie.

Elle me fit un visage rayonnant.

— Fabi est notre femme de ménage et la personne la plus importante qui vive ici.

Sa femme de ménage *vivait* là, genre, dans la maison ?

— Fabi s'occupe de tout.

Je veux bien, mais quelle est l'étiquette à respecter, quand on se fait présenter à la servante de son amie ? Je lui adressai un sourire, lui fis un signe de la main et dis « allô ». Elle fit de même. J'augmentai la mise en disant « allô » une autre fois, avec encore un signe de main et un sourire, mais en ajoutant un hochement de tête. Elle fit encore comme moi. Nous étions si absorbées dans cette compétition de salutations que Madison avait eu le temps de s'éloigner sans que je m'en rende compte.

— Viens-tu ? m'appela-t-elle.

D'où m'appelait-elle ?

— Bon, je dois y aller, maintenant, mais c'est un plaisir de vous avoir rencontrée, et tout et tout.

Nous nous faisions encore des signes de main, tandis que je reculais.

Je reculai dans une énorme pièce dont tous les murs étaient couverts de livres. Contrairement à la bibliothèque de l'école, qui, je le jure, est plus petite, la plupart des livres possédaient ici des reliures de cuir. Il y avait des rangées de livres de cuir bleu avec des lettres dorées, des rangées de livres de cuir bourgogne avec des lettres dorées, et ainsi de suite. J'avais déjà vu ce type de livres, à ces rencontres organisées pour papa, maman et moi. Je m'approchai des rayons les plus proches pour lire les titres.

— Te voilà, lança Madison en apparaissant à mes côtés. Désolée, j'oublie toujours que les gens ne savent pas où aller. C'est le bureau de mon père.

— Madison, demandai-je tandis que mon cœur battait à en faire trembler les tablettes, ton père est-il juge ?

— Non, idiote.

Je recommençai à respirer.

— Il est professeur de droit. C'est mon grand-père, qui habite également ici, qui est juge. En fait, grand-père utilise ce bureau plus que mon père, puisqu'il est à demi retraité et…

Ma gorge se noua.

Professeur de droit ? Juge ?

Ils n'auraient pas pu être d'ordinaires magnats du capitalisme ?

— Allez, viens, je fais du café. N'es-tu pas affamée ?

Je la suivis lentement, calculant fiévreusement les risques que mon père ait pu comparaître devant son grand-père pour des accusations de meurtre, ou que le procès de papa soit utilisé comme étude de cas ou autre sujet intéressant dans l'un des cours donnés par son père. Ou, sait-on jamais, que le cas de papa soit consigné dans l'un de ces livres bourgogne. Comment cela se pouvait-il ? Comment, comment… ?

— Comment ?

— Comment quoi ? demanda Madison.

Oups.

— Comment…, euh, comment se fait-il que tu ne fréquentes pas une de ces écoles privées ultra-chics ? Disons les choses comme elles sont, Madison : ta maison pourrait être une école privée.

— Tu vas t'y faire, me rassura-t-elle en déposant une tasse devant moi. Pour l'école, c'est un pacte, tu vois ?

J'écoutais à peine. Et si papa était mentionné dans l'un de ces livres ? Je me souvins ensuite qu'il existait toutes sortes de juges et d'avocats en dehors de ceux qui se consacrent aux activités criminelles. Il y avait le droit commercial, civil, international… Ouais. Ils faisaient probablement ça. Peut-être. Même si je hochais la tête en direction de Madison, je ne suivais plus du tout la conversation.

— Alors, en dépit de ce que nous pourrions toutes deux penser, Northern Heights a une excellente réputation. L'entente est que si j'ai de bonnes notes et que je ne me mets pas dans le pétrin, je peux rester avec mes amies et jouer au basket de compétition.

Elle versa du café. Je priai pour qu'il soit meilleur que celui de Mike, mais en vain.

— Et si je m'écarte du droit chemin, eh bien, Académie pour filles de madame Cruikshank, me voici !

— Je vois. Ton café est bon.

— Merci. Fabiola se le procure auprès du fournisseur spécial de Mike. Assois-toi, relaxe.

Je tirai un tabouret, tout en observant la cuisine.

— Je n'en crois pas mes yeux. On dirait une cuisine des magazines à quatre dollars que ma mère vole à son bureau.

J'avais peut-être raison. Papa disait toujours que le droit commercial était synonyme de *richesse*. Notre avocat de l'aide juridique n'avait pas l'air de posséder plus d'un complet. Une maison comme celle-ci, avec une telle cuisine, sentait la *richesse* à plein nez. Tout au bout de la pièce, il y avait un four de la taille de celui de Mike, et juste à côté, un autre four, encastré. Il y avait un réfrigérateur à deux portes, deux éviers et demi, une machine à lait fouetté et une cafetière de l'ère spatiale.

— Ouah, j'ai vu des cuisines de traiteurs moins bien équipées.

Madison me lança un regard que je ne savais comment interpréter. C'était un truc insondable de blonde. Ce qui est insondable me rend nerveuse.

— Ouais, bon, maman et moi avons offert souvent un service de traiteur, quand la situation est devenue difficile, après... après la..., comme tu le sais, la mort de papa.

Madison grommela.

— Tu vois, tu recommences.

— Ouais, grommelai-je aussi. *Quoi ?*

Des tresses d'ail et des bouquets d'herbes séchées pendaient du plafond entre des casseroles en cuivre reluisantes. Le mur derrière nous était presque entièrement recouvert d'une collection de jolie vaisselle bleue et blanche, placée aléatoirement. C'était la pièce la plus jolie qu'il m'ait été donné de voir.

— Maman tomberait raide morte, si elle voyait tout ça.

— Vraiment ?

Madison ajoutait plus de sucre dans son café. Comme moi, elle l'aime sucré. Nous admettons en mettre trois cuillerées, mais dès que nous pensons que personne ne regarde, nous en ajoutons une quatrième.

— Elle est une grande cuisinière ?

— Non. En fait, elle cuisine bien, parfois très bien, dis-je en faisant de grands mouvements de bras. Elle est agente immobilière. Elle vit pour ce genre de choses.

— Sophie ?

— Ouais ?

— Toi, ta mère et tout…, commença-t-elle en ajoutant une autre cuillerée de sucre, assurément sa quatrième. Ça a dû être très, très difficile quand même, une nouvelle langue, une nouvelle culture, le service de traiteur, le retour aux études. Elle a dû étudier, pour être agente immobilière, n'est-ce pas ?

— Oh, ouais, acquiesçai-je en ajoutant à mon tour une quatrième cuillerée, que Madison remarqua en faisant semblant de rien. Les études pour devenir agent immobilier sont très sérieuses, beaucoup plus difficiles que la formation Mary Kay.

— Et toute seule, sans aide ni soutien ?

— Ouais, dis-je en hochant la tête. Bien sûr, il y a les tantes, mais ce ne sont pas vraiment mes tantes, seulement des amies du pays de maman — euh, d'un certain nombre d'autres pays, quand on y pense bien. Et maman dit qu'elles nuisent plus qu'elles n'aident. Évidemment, elle ne pense pas vraiment...

— Mais tu n'avais que sept ans, après tout.

— Huit, pourquoi ?

— Pour rien, répondit-elle en secouant la tête. Je m'emporte, parfois. Ce n'est pas comme si on était en Angleterre, à l'époque victorienne, et qu'elle avait dû t'abandonner à l'orphelinat, ou quelque chose comme ça. Mais tu dois l'admirer, pour tout ce qu'elle a fait.

De quoi parlait-elle ?

— Que veux-tu dire, ce qu'*elle* a fait ? Seigneur, Madison, je suis sa fille, quel autre choix avait-elle ? Il faut se ressaisir et faire ce qu'il y a à faire, tu sais. C'est ce que les gens font.

Madison s'agrippa si fort au comptoir que ses jointures devinrent blanches.

— Hum, fit-elle.

Elle se tourna ensuite vers un garde-manger qui contenait plus de malbouffe que n'importe quel dépanneur bien approvisionné. Elle me lança des rosettes en chocolat, des gâteaux Twinkie de Hostess et un paquet de maïs soufflé à saveur de cheddar.

— Choisis ton poison.

Tout en mâchonnant son Twinkie, Madison fouilla dans le fin fond du garde-manger, jusqu'à ce qu'elle en sorte une cigarette. Elle fit démarrer le ventilateur au-dessus de la cuisinière, alluma sa cigarette à même la flamme de gaz d'un des ronds, et elle souffla la fumée dans le système de ventilation. Peut-être que fumer faisait partie de ces choses qui menaient tout droit chez madame Cruikshank.

— Tout de même, un pays étranger, une langue étrangère, pas de famille...

Elle souffla des cercles de fumée dans la hotte.

— Je ne sais pas, répondis-je en prenant une grosse poignée de maïs soufflé. Peut-être que tu te laisses atteindre en raison du milieu dans lequel tu as grandi ; je veux dire, avec tout ça.

Je fis un signe vers les casseroles.

— Mais, Madison, dans la vraie vie, absolument tout le monde sait se montrer fort, quand la situation l'oblige. Quand il n'y a plus de choix, on fait ce qu'il y a à faire.

— Ah, c'est là que tu te trompes, Sophie.

Elle envoya d'une chiquenaude sa cigarette dans l'évier, qui l'avala aussitôt. Madison me regarda observer le drain.

— Que tu te trompes complètement, ajouta-t-elle.

Puis, elle sembla se secouer.

— En tout cas, ce que je voulais dire, c'est que je parie que mes parents l'adoreraient.

— L'adoreraient ? La tolérer, peut-être. Bon sang, tu l'as vue, aux qualifications. Mis à part le fait qu'elle parle comme une Doris Day slave, elle peut réussir à faire fuir le monde d'une pièce, tellement elle est intense.

— Oui, Sophie, j'ai *l'ai* vue, et ce n'est pas de l'intensité, c'est de la passion. Elle est tout comme toi.

— Comme moi ! Je ne suis pas du tout comme elle. Du tout. Je suis comme papa, dis-je en faisant un signe de tête. Je suis tout à fait comme lui. Est-ce que je t'ai dit qu'il est... qu'il était un poète ? Tout le monde ne pouvait faire autrement qu'aimer papa, particulièrement quand il était sobre. Tu ne pourrais pas trouver deux personnes plus *différentes* que maman et moi.

— Elle était si farouchement derrière toi, aux essais.

— Ah, ah ! « Farouchement », c'est le mot. Voilà bien ce que je disais.

— En tout cas.

Elle ouvrit un emballage de Kit Kat.

— Mes parents aimeraient vous inviter, toutes les deux, à venir prendre un repas à la maison, un de ces soirs. Viendrait-elle ?

Il faudrait me passer sur le corps.

— Bien sûr, dis-je. Mais puisqu'elle est agente immobilière, et tout et tout, son horaire est très irrégulier, tu vois ? Il est presque impossible de lui mettre le grappin dessus.

— D'accord, dit-elle en ouvrant une des portes du réfrigérateur. Que dirais-tu d'un morceau de gâteau aux carottes ? Fabi l'a fait aujourd'hui. On pourrait ensuite monter à ma chambre et se préparer pour le test d'anglais.

— Bien sûr, acquiesçai-je, soulagée qu'elle change de sujet. Le gâteau aux carottes est pratiquement un aliment sain. L'entraîneuse serait déçue qu'on passe à côté de quelque chose de si nutritif.

— C'est exactement ce que je me disais, *et* il est recouvert d'un glaçage au fromage à la crème. Tout le monde sait que le fromage est très bon pour la santé, avec le calcium, les protéines et… et les autres trucs.

Elle en coupa un gros morceau.

— Ne t'inquiète pas d'avoir à choisir une date avec ta mère. Mes parents sont passés maîtres, dans ce genre de choses. Je peux te promettre qu'ils vont arranger ça.

— Super, dis-je. J'ai hâte.

J'avais hâte d'arriver chez moi et de tout raconter à maman de ma visite chez Madison — sauf pour l'invitation à souper, bien sûr. J'avais hâte de voir son expression quand je commencerais mon récit en entrant dans la cuisine. Mais je ne pus rien dire.

Comment avais-je pu oublier ? On aurait juré qu'un train lui était passé sur le corps. Elle avait le visage enflé et à vif.

Avais-je oublié par exprès ?

C'était mercredi.

Un mercredi sur deux.

Papa avait appelé.

Je me rendis à la table et m'assis en face d'elle.

— Je me suis bien amusée, chez Madison, maman. Je commence à croire qu'elle m'aime pour de vrai.

Maman leva les yeux.

— Et sa maison a l'air tout droit sortie de ce magazine dont tu raffoles, *Architectural Digest*. Totalement incroyable, la cuisine a, genre, 17 éviers, un broyeur à déchets et de l'ail suspendu.

Ça sonnait faux, même à mes propres oreilles.

Maman tenta de sourire. Ses lèvres se retroussèrent, mais ses yeux demeurèrent aussi ternes qu'à mon arrivée. Je savais à quoi m'attendre.

Les choses allaient se gâter. Je devinais toujours dès le départ les signes d'une situation qui allait tourner au vinaigre. Je ne sais pas pourquoi, mais ça ne se produisait jamais après les visites — uniquement après les appels. Elle avait toujours ce regard trouble. Je ne me trompais jamais.

— Alors, comment va papa ?

— Bien, dit-elle en hochant la tête sans me voir. Il était bien.

Maman se leva et frotta sa tasse de café comme si celle-ci était contaminée par la varicelle.

— Tu n'as pas trrrop de devoirrrs, cette semaine ? Tu as eu beaucoup d'examens, que tu as dit, et te voilà à te la couler douce avec des amies.

Sa voix était morne et grave. La catastrophe ! Je peux supporter que maman crie et pleure, mais quand sa voix devient monotone, je commence à me désintégrer. « Ça s'en vient, ça s'en vient. » Elle se tourna vers moi.

— Ce n'est pas toujourrrs la fête, tu sais. Et... et le basketball et la poésie, pfft. Ce n'est pas ça, la vie.

Elle sortit la bouteille d'Ajax et en versa sur le comptoir sans défense.

— La vie, c'est l'éducation. Tu l'oublies sans cesse.

Ce n'était pas vrai. Ça n'avait jamais été vrai. À n'importe quel autre moment, nous nous serions chicanées comme deux éléphants sauvages, mais pas maintenant. Pas quand elle était comme ça.

— Va-t'en.

Elle me tournait le dos. Elle frottait en petits cercles concentriques le comptoir recouvert d'Ajax, d'abord dans le sens horaire, ensuite dans le sens antihoraire, puis de nouveau dans le sens horaire.

— Va-t'en.

Il m'est déjà arrivé de menacer de faire une fugue. Après tout, je sais où se trouve la gare d'autobus. Nous nous sommes une fois querellées si fort et si longtemps qu'une des propriétaires italiennes avait appelé la police. J'ai déjà claqué des portes, je suis déjà sortie dehors enragée, je lui ai même déjà lancé une soucoupe, une belle soucoupe bleue et verte sur laquelle était dessiné un moulin. L'assiette s'était brisée en cinq morceaux distincts. J'avais passé un mois à essayer différentes colles pour la réparer, avant d'y renoncer et de la jeter à la poubelle. Je sais maintenant qu'il vaut mieux ne pas en venir à ça. Mes poings se serrèrent, et des mots me vinrent à la bouche. Je les ravalai.

— D'accord, maman. Je vais aller étudier.

— Parrrfait, murmura-t-elle en s'adressant au comptoir.

Ses épaules s'effondrèrent.

Je ne sais pas pourquoi ça arrive, pourquoi elle me déteste soudainement. La plupart du temps, elle m'aime. Pas autant que papa m'aimait — qu'il m'aime, devrais-je dire. Mieux encore, il m'adore. C'est tout à fait différent. Je *suis* sa princesse. Je n'ai jamais été la princesse de maman, mais d'ordinaire elle m'aime. Mais là, *là*, c'est comme si même ma manière de respirer était mauvaise. Tout ce que je fais est mal.

Maman rince, frotte, rince. Les muscles de son dos et de ses épaules se contractent et se fléchissent à chaque frottement. Je peux clairement sentir la peur qui émane d'elle de l'autre côté de la pièce.

Ou est-ce seulement une impression de ma part ?

Les jours qui suivent se ressemblent. Maman ne parle pas, sauf pour critiquer. Elle commence à se ronger les ongles, et elle a les mains gercées à force d'avoir trop utilisé l'Ajax et le Javex. Je n'arrive comme plus à expirer. L'air est si lourd qu'il faut en prendre de grosses bouffées pour l'emmagasiner quand elle n'est pas là. Et toujours, l'orage menace.

Ce n'est guère mieux à l'école. À Northern, les enseignants faisaient penser à cette tribu de Nouvelle-Guinée qui fait toujours l'objet de reportages dans le *National Geographic*, et au sein de laquelle chaque femme du village décide d'avoir ses règles exactement au même moment que les autres femmes — et même que certains hommes, pour ce que j'en sais. Quoi qu'il en soit, les enseignants avaient tous décidé que la deuxième semaine d'octobre devait comporter un test important dans leur matière. Même Phil le drogué nous avait fait subir un examen. Nous avions passé 40 minutes à rédiger une réponse inspirée de la vie mouvante et insaisissable de la conscience par rapport à la « vérité inhérente » ressortant de l'œuvre *Une paix séparée.* J'avais obtenu 97.

Quand je rentrai, cet après-midi-là, je vis que maman avait ressorti tous les poèmes de papa, publiés ou non, toutes ses traductions, et toutes ses lettres écrites à partir de 1953. Nous étions sur une pente glissante.

Le 13 octobre 1974

Cher papa,
Veux-tu bien me dire ce qui s'est passé mercredi, quand tu as appelé ? Maman n'a pratiquement jamais eu si mauvaise mine, et je commence vraiment à avoir une de ces trouil…

Je ne terminai pas ma phrase. Il n'était pas question que je commence de cette manière ma première lettre depuis des lunes et des lunes. Il allait me détester, lui aussi.

L'orage passerait. Il passait toujours. Tout ce que j'avais à faire était de survivre aux deux ou trois jours suivants. C'est tout.

Maman sortit de sa chambre. Elle était encore en pyjama. N'était-elle pas allée travailler ?

— Tu es là ? demanda-t-elle comme si elle était surprise de me voir.

Comme si elle avait oublié que j'habitais ici.

— Bonjour, maman. Devine quoi.

Elle me regarda.

— Quoi ?

Même si elle me voit, quand elle est comme ça, c'est comme si j'étais un meuble. Elle sait qu'il y a une table dans la pièce, mais elle ne la voit pas réellement, pas vraiment.

— J'ai eu 97, à mon test d'anglais !

— D'anglais ! cracha-t-elle. D'anglais ? C'est une matièrrre rrridiqui-rrridicule ! Qui ça peut intérrresser, 97 pourrr du rrridiqui-rrridicule !

— Ridiqui-ridicule ?

— C'est un bon mot, dit-elle en reniflant. Madame Dawson, au burrreau, utilise ce mot. Il ne vient pas d'un film. Son fils est à l'Univerrrsité de Waterrrloo en mathématiques. Les mathématiques, ça, c'est l'idéal. Il va êtrrre un garrrçon éduqué. Combien as-tu eu, dans ton examen de mathématiques ?

— J'ai eu 83 %.

Elle grogna.

— Ah, ah ! Quatrrre-vingt-dix-sept pourrr du rrridiqui-rrridicule, et tu coules les mathématiques.

C'était comme si quelqu'un avait brassé la boue qui lui donnait des yeux ternes.

— Tu gaspilles ta vie à faire des choses rrridicules, tout à fait comme lui.

J'aurais voulu la frapper. Ça me rendait toutefois malade de penser que je pouvais avoir envie de faire quelque chose comme ça, quelque chose de vraiment mal. Maman me dévisagea, les lèvres pincées, le corps raide. Elle était vert fluo de rage. Moi aussi.

Je m'en allai dans ma chambre.

Elle était absente quand je revins à la maison, le jeudi, mais la table de cuisine était maintenant couverte de photos de famille ainsi que d'écrits. Des photos de papa et maman, papa et moi, papa petit en Pologne, nous tous en Hongrie. Elle avait vidé toute la maudite valise. Il avait l'air d'un prince sur toutes les photos, sans exception. Je connaissais le visage de papa mieux que le mien. Il ne se passe pas une journée sans que je plonge secrètement dans la valise. Toutes les photos étaient éparpillées, dans le désordre le plus total. Quel gâchis !

C'est alors que je vis les restes d'une photo sur le plancher.

Je n'allais peut-être pas survivre à cette semaine, après tout.

Maman avait déchiré leur photo de mariage.

Papa était relativement intact. Il figurait encore sur la quasi-moitié de la photo, toujours souriant comme si on venait de lui offrir un tout nouveau pays à gouverner. Maman, cependant, c'était autre chose. La moitié de photo qu'elle occupait était déchirée en mille miettes.

Il ne restait plus rien de maman.

Mes mains tremblaient, lorsque je pris le téléphone.

Tante Eva répondit à la deuxième sonnerie.

— Allô ?

— Tante Eva ?

— Sophia ! Chérrrie ! C'est bien toi ?

— Euh, tante Eva ?

— *Buboola*, bébé chérrri. Comment ça va, petite fleurrr prrrécieuse ? Comment ça va, à ta nouvelle école ? Le basketball, gagnes-tu encorrre ? On va aller te voirrr jouer, c'est cerrrtain. Souviens-toi de te mettrrre belle tous les jourrrs. On ne t'a pas vue depuis des siècles. Tu es trrrop occupée pourrr les tantes. Attends donc, bébé Sophia, tu m'appelles ! Pourrrquoi donc m'appelles-tu ?

— Tante Eva ?

— Bébé, *buboola*, tu pleurrres. Pourquoi pleurrres-tu ? Arrrête de pleurrrer, maintenant, et dis-moi pourrrquoi tu pleurrres.

— Tante Eva...

— C'est *mama*, non ? Sophia, est-elle un peu déprrrimée ou dans son autre état ?

— Oh, tante Eva..., on dirait qu'elle me déteste.

— Ouille ! Ne dis pas quelque chose d'aussi horrible. Mes orrreilles vont tomber d'entendrrre quelque chose comme ça. Tu es sa vie ! Ta mère a les nerrrfs trrrop nerrrveux. Comment ça pourrrait êtrrre autrrrement, avec ton pèrrre ? Je te le demande. Ne rrréponds pas, je sais que tu l'aimes.

— Mais c'est pire que les autres...

— Depuis combien de temps ? Mouche-toi. Ce n'est pas bien, quand il est trrrop plein. Je ne comprrrends pas ton anglais, quand tu as le nez bouché.

Je m'essuyai le nez sur ma manche.

— Tu n'as pas utilisé de mouchoirrr. Je le sais. Une jolie dame doit toujours utiliser un mouchoirrr.

Je te dis le vrrrai. On n'en parrrlerrra pas maintenant, à cause de la trrrès mauvaise crrrise qui durrre depuis... Depuis combien de temps, déjà ?

— Depuis mercredi dernier, dis-je en reniflant.

— Ne fais pas ce brrruit, ce n'est pas un bon brrruit. As-tu dit « merrrcrrredi » ? Sophia, Sophia, c'est trrrop long, ma petite. Pauvrrre petite. Pas bon. Tu dois nous appeler tout de suite à la prrremièrrre minute, quand ça se prrroduit. Mon pauvrrre, pauvrrre bébé.

— Tante Eva ?

— On va arrranger ça demain matin à la prrremièrrre heurrre. Parrrs tôt pourrr l'école. Prrromets-moi de ne plus pleurrrer. Mon cœurrr est brrrisé de savoirrr que tu vas pleurrrer.

— Je ne pleurerai plus, promis-je. Et je vais trouver un Kleenex en raccrochant.

— C'est ça, mon beau bébé. Rrregarrrde la télévision et mange du strrrudel. Il y a toujourrrs quelque chose de fantastique, à la télévision, et tout est meilleurrr avec du strrrudel. Ne t'inquiète pas, Sophia, on va tout arrranger.

— Je sais, tante Eva, je sais. Merci.

— Merci, toi aussi. On t'aime forrrt, forrrt, forrrt. Prrrends aussi des biscuits. Au rrrevoirrr.

Elle raccrocha.

Je pris une grande respiration, puis une deuxième. Je fouillai ensuite dans les armoires et trouvai le strudel, avec en prime des biscuits à l'avoine et aux raisins secs. Avec une assiette pleine de ces sucreries et une bonne quantité de Kleenex, je m'installai devant la télé. Je commençai à avoir le hoquet, à force d'avoir tant pleuré. Je déteste ça. Je suis nulle, pour pleurer. Ingrid Bergman, dans *Casablanca*, ça, c'est une pleureuse : de parfaites larmes luisantes qui ne font qu'illuminer sa beauté. Moi, je pleure toutes les larmes de mon corps, avec reniflements et hoquets. Peut-être est-ce une question de compétence. Peut-être pourrais-je apprendre à mieux pleurer. Dieu sait que j'en ai suffisamment l'occasion.

J'allumai la télévision. Un des merveilleux avantages à habiter dans un appartement en copropriété est la présence d'une super antenne à la disposition des occupants de tout l'édifice. Nous n'avions jamais capté plus de deux chaînes et demie, auparavant. Nous en captons maintenant 11 ! Il y a toujours quelque chose de fantastique à regarder, dans un choix de 11 chaînes. Je décidai d'écouter la dernière heure et demie de *Diamants sur canapé*, un film de 1961 mettant en vedette Audrey Hepburn, une autre excellente pleureuse. Tout irait bien : j'avais du strudel, j'avais Audrey Hepburn et j'avais les tantes.

J'avais fait mon bout de chemin.

J'avais appelé la gendarmerie en renfort.

Les tantes s'acquittèrent de leur mission avec brio. Le vendredi, l'orage était passé. Maman s'était même déplacée à l'extérieur du quartier pour assister à notre match à l'école Jesse Ketchum. J'en mettrais ma main au feu, elle avait sûrement trouvé et appris par cœur mon calendrier des matchs caché dans mon tiroir de sous-vêtements. Elle était donc là, dans l'assistance, couvrant à elle seule la voix des admirateurs de Jesse Ketchum. Lorsqu'une joueuse de l'équipe adverse fit un panier douteux dans les dernières minutes du quatrième quart, maman piqua une crise.

— Comment ça, le panier est bon ! ? La fille marrrchait avec le ballon. M-A-R-R-R — euh, combien de R, déjà ? — C-H-A-I-T ! Elle marrrchait parrrtout, d'un bout à l'autrrre du terrain !

Les Blondes savaient maintenant que les encouragements de maman m'étaient insoutenables, mais elles ne pouvaient s'empêcher de les apprécier. Madison me donna un petit coup de coude à la ligne de lancer franc.

— Elle *marchait*, c'est absolument vrai.

J'ai cru qu'ils allaient sortir maman du gymnase pour la prolongation. Ça n'aurait pas eu d'importance. Pour une fois, les Blondes avaient tort. De toute ma vie, je n'avais jamais été aussi contente qu'elle me fasse honte. Maman avait retrouvé le moral, c'est tout ce qui comptait.

Nous avons gagné. De justesse, mais gagné quand même. Madison venait chez moi, après la partie. Je le lui avais demandé dès que j'avais entendu maman s'égosiller durant le premier quart. Je savais qu'il n'y aurait pas de problème.

Ça m'était même presque totalement égal que maman ne cesse de nous serrer dans ses bras en nous rendant au stationnement.

— Votrrre jeu était superrr extrrraordinairrre, les filles ! s'exclama-t-elle, toute rayonnante. Vous étiez toutes complètement superrr !

— Eh bien, merci, madame Kandinsky, la remercia Madison, comme si elle répondait à des propos tout à fait normaux chez un être humain. Et nous vous sommes vraiment toutes reconnaissantes de venir à nos matchs à l'extérieur comme vous le faites. C'est fantastique d'avoir une vraie admiratrice comme vous dans les gradins.

Mais qu'est-ce qu'elle racontait là ? Il ne fallait pas encourager maman.

— Seigneur ! lança Madison en regardant notre auto, fraîchement sortie de sa dernière visite à l'hôpital Buick. Elle est rose !

Maman se gonfla d'orgueil, comme si elle se trouvait devant le plus récent modèle de Jaguar.

— C'est la seule au Canada.

— Ouais, mais elle est rose !

— Bien sûr, dit maman. Marrry Kay, une sainte à la peau parrrfaite pour son âge, m'a perrrsonnellement donné les clés.

Elle agrippa gentiment le visage de Madison par le menton.

— Toi aussi, tu as une belle peau.

Madison avait l'air perplexe. Il faut se lever de très bonne heure le matin, pour arriver à suivre maman dans ses coq-à-l'âne.

Tandis que la Panthère rose commençait lentement à rugir, ce qui tient toujours du miracle, maman leva les yeux de la route assez longtemps pour nous dire qu'elle allait nous déposer et qu'elle irait ensuite rencontrer un jeune couple pour leur faire visiter une maison jumelée et un appartement en copropriété.

— J'ai un beau goulasch surrr le feu. Tu as déjà mangé du goulasch ?

Madison hocha négativement la tête.

— Ah ! fit maman en lui tapotant le genou. Les gens se tuerrraient, pourrr mon goulasch.

Elle roula sans voir le panneau d'arrêt.

— Et comme gâterrrie, nous avons un magnifique pain maison.

Elle se pencha vers moi, pendant que nous passions sur un feu jaune.

— J'ai oublié de te dirrre que tante Eva et tante Luba sont venues me porrrter le pain hierrr.

Mes gendarmes.

Madison tomba amoureuse de notre appartement. Elle n'avait jamais mis le pied dans un immeuble résidentiel auparavant, et nous étions au 17e étage. Je n'arrivais pas à la décoller de la fenêtre.

— Tu peux voir toute la ville, le monde entier, d'ici ! C'est incroyable !

— Ouais, commentai-je, me sentant pousser des ailes. Et un jour, nous allons avoir des meubles, et tout et tout.

Madison regarda autour d'elle. D'où elle se trouvait, elle pouvait voir la cuisine, le recoin de la salle à manger et le salon.

— On épargne pour s'acheter des choses de qualité. Ça va prendre un certain temps, mais maman et moi avons des plans grandioses.

Elle me lança son regard..., encore ce truc insondable de blonde.

— Quoi ? demandai-je.

— C'est bien toi, ça, répondit-elle en secouant la tête.

— Ouais, c'est bien toi aussi.

Le visage de Madison se rembrunit, et elle devint un peu moins blonde l'espace d'un instant, comme chez elle quelques jours auparavant.

— Bon, eh bien, je meurs de faim. Est-ce que ça te va, si on mange et qu'après je te montre ma chambre ?

Madison jura qu'elle n'avait jamais rien mangé de meilleur dans sa vie que le goulasch de maman.

— Qu'est-ce qu'il y a, là-dedans ?

— Je ne le sais pas vraiment, répondis-je en haussant les épaules. Mais il y a du paprika et de l'ail dans à peu près tout.

Pendant que nous terminions la miche de pain, je racontai à Madison l'histoire de mon miroir assemblé par ce fou de Želko et mon père.

Une fois la vaisselle rangée, Madison se rendit directement à ma chambre. Elle demeura bouche bée, devant mon miroir.

— Je n'arrive pas à le croire. Sophie, il devrait se trouver dans un musée, ou je ne sais quoi.

Je m'assis sur le lit, regardai le miroir et laissai sa magie opérer.

— Ton père ?

— Et ce fou de Želko, précisai-je.

Elle toucha la tête des Barbie, les rubans et une fourchette à cornichons argentée.

— Il doit t'avoir tellement, tellement aimée. Mon Dieu.

Des larmes lui montaient-elles aux yeux ?

— Ouais, je suppose, dis-je en me levant. Mais souviens-toi, il avait beaucoup de temps libre, le marché de la traduction poétique du polonais à l'anglais étant ce qu'il est. Madison ?

Des larmes lui coulaient silencieusement sur les joues, exactement comme je le soupçonnais. Elle pleurait de façon magnifique.

— Madison, qu'est-ce qu'il y a ? Ça va ?

Elle fit vigoureusement signe que oui.

— Il t'a aimée à ce point-là, je… C'était un poète sans le sou ?

Comment tout cela allait-il finir ?

— Euh, comme je l'ai dit, il était parfois poète, parfois traducteur, parfois soûl. Bon, d'accord, plus que parfois soûl.

Elle se retourna.

— Oh, Sophie ! s'exclama-t-elle en me prenant les bras. C'est si incroyablement tragique, tout droit sorti d'un opéra !

— Calme-toi, Madison. Ce n'était pas si terrible. Il était un bon soûlon, demande-le à n'importe qui. Même Želko était plutôt bien, comme soûlon. Vois-tu, maman travaillait tout le temps. Tu sais, ses démonstrations de produits Mary Kay chez les dames, le jour, le soir et les fins de semaine. Donc, papa prenait soin de moi, et il écrivait, traduisait et buvait un peu.

Elle continuait à pleurer — avec finesse, cependant, un peu comme un mélange de Leslie Caron dans *Gigi* et de Sandra Dee dans *Ils n'ont que 20 ans*… Je ne savais que faire, dans un cas comme ça. Je n'avais jamais eu ce genre d'amitiés marquées de chaudes larmes et de réconfort. Je lui tapotai doucement le dos.

— Pourquoi est-ce que je te fais pleurer ?

— Non, dit-elle en reniflant. Ce n'est pas toi.

Elle secoua la tête et continua à pleurer en silence.

Je restai assise, telle une abrutie, à lui tapoter le dos à quelques reprises. Ses omoplates étaient très pointues.

— Tu as un Kleenex ?

— Je vais te trouver un mouchoir.

Je courus dans la chambre de maman et dévalisai son tiroir à linge.

— Tiens, les Kleenex, c'est pour les cowboys.

— Hein ?

Elle hoqueta avec raffinement.

— Peu importe, dis-je en lui tendant un mouchoir en dentelle fraîchement pressé. Ça vient des tantes. Elles sont généralement incompréhensibles, même prises dans leur contexte.

Elle observa le délicat mouchoir avec horreur.

— Je ne peux pas…

— Vas-y, mouche-toi. J'insiste. Tu vas faire sortir toute ta tristesse.

— Voilà que tu recommences.

Bon, ce qu'elle disait n'avait aucun sens, mais au moins, elle avait à peu près arrêté de pleurer.

— Madison, qu'est-ce qu'il y a ? Tu peux me dire n'importe quoi.

Elle hocha la tête de gauche à droite.

— C'est trop bizarre.

— Eh bien, il se trouve que j'ai un seuil de bizarrerie très élevé.

Presque un sourire.

— Ton père, il ne t'aurait jamais abandonnée, et ta mère non plus. Jamais.

— Et… ça te fait pleurer ?

— Argh ! Ils m'ont abandonnée, confessa Madison dans un hoquet. Elle m'a laissée tomber.

— Qui ?

— Ma mère.

Je voulais la secouer, la sortir de cet état.

— Est-ce que tu prends trop de pilules amaigrissantes, ou quoi ? Ta mère t'adore, Madison. Je le sais juste à la manière dont elle parle de toi au téléphone…, à sa manière de dire ton nom. Elle est…

— Elle… n'est pas ma mère, Sophie !

— Quoi ?

— Je suis une enfant adoptée.

Nous nous dévisageâmes, stupéfaites toutes les deux.

— J'avais un an et demi, quand…

Tout devint clair en un instant. Ma vie défila devant mes yeux en haute définition, en contraste avec la sienne : le procès, les six écoles, l'intimidation, tous les déménagements…

— Adoptée ?

La gare d'autobus, la prison, maman, toute cette semaine minable…

— Tu es adoptée, c'est tout ? Seigneur Jésus, Madison, si seulement j'étais adoptée.

Cela eut pour effet de la calmer.

— Et alors ? Qu'est-ce que ça peut faire ? Regarde-toi. Regarde !

Je la plaçai devant le miroir.

— Tu es de toute évidence l'enfant naturelle de Lana Turner et Gregory Peck, mais Lana a dû choisir entre t'abandonner ou détruire à la fois sa carrière et le mariage jusque-là parfait avec Gregory. Trop de vies auraient été complètement dévastées, ne le vois-tu pas ?

Elle souriait et essayait de le cacher avec le mouchoir.

— Alors, ils t'ont donnée à cette famille spectaculairement riche et merveilleuse, on ne peut plus respectueuse des lois, et qui souhaitait désespérément avoir une petite fille blonde de six pieds qu'ils pourraient adorer et gâter de façon insensée.

— Cinq pieds neuf, rectifia-t-elle.

— Allez, Madison. J'ai souvent déménagé. Même ta femme de ménage te témoigne plus d'amour que les supposées *vraies* familles d'un tas d'enfants. Adoptée ! Où est-ce que je m'inscris ?

Elle se moucha, plusieurs fois de suite.

— J'ai bien fait de te le dire, dit-elle en hochant la tête. Je savais que je devais te le dire. Kit et Sarah ne le savent pas. Personne ne le sait, mais tu as été si brutalement honnête en me racontant *ta* vie que je...

Honnête ?

— Je l'ai senti au plus profond de moi. Je me sens tellement mieux, maintenant que c'est sorti.

Elle m'agrippa le poignet.

— Mais c'est un secret, d'accord ?

Madison prononça le mot « secret » comme s'il s'agissait de trois mots : se-que-ret. Je sais reconnaître un secret, quand il me tombe dessus à m'en faire un bleu. Que devais-je faire de celui-là ? J'avais déjà assez de difficulté à m'occuper de mes propres affaires. Les Blondes, pour l'amour de Dieu, ne sont pas censées avoir de se-que-rets.

— L'as-tu toujours… ?

Elle secoua la tête négativement.

— Ils me l'ont dit il y a quatre ans.

— Eh bien, as-tu déjà voulu… ?

— Les dossiers sont confidentiels. Grand-père me l'a proposé. Il a, disons, une assez bonne influence. J'ai dit non. Je ne veux pas le savoir.

Son visage se renfrogna.

Elle était de nouveau elle-même. J'étais à la fois soulagée et confuse.

— Tu ne veux pas le savoir ?

— Non, Sophie, je ne veux pas.

Bon, d'accord. Passons à autre chose.

— Parfait, j'ai compris. Veux-tu du strudel ?

— Oui, acquiesça-t-elle en bondissant hors du lit. Sophie ?

— Ouais ?

— Tu es la seule à le savoir. C'est un secret qui doit *absolument* rester entre nous, mais tu es tellement ouverte quand tu parles de toi que je…

— Hé, relaxe. Je l'emporterai dans la tombe. Je suis peut-être honnête, mais toujours à demi Bulgare, et tous les Bulgares sont comme ça avec leurs secrets, dis-je en me croisant le majeur par-dessus l'index. C'est un genre de truc génétique.

Elle sourit et expira.
J'expirai aussi.
Papa serait si fier de moi.

La Panthère rose souffla bruyamment durant tout le trajet jusque chez Kit.

— Bon sang, que se passe-t-il encore avec l'auto ? grommelai-je.

— De quoi parrrles-tu ? La voiturrre fait son brrruit habituel, répondit maman en me tapotant le genou.

Elle avait peut-être raison, sauf que les hoquets semblaient bien pires dans certains quartiers. Par exemple, quand nous nous arrêtâmes devant chez Kit, on aurait juré entendre un bruit de tracteur affligé d'une toux coquelucheuse.

— Quatrrre-vingt-dix-sept, avenue Frrreemont. C'est ici. Ouah !

Elle éteignit le moteur et se pencha pour mieux regarder par la glace de la portière du passager.

— Sais-tu ce que c'est ?

— Oui, répondis-je. La maison de Kit.

— Non, non, non, dit-elle en bougeant la main comme pour chasser une mauvaise odeur de pet de ma part. C'est une tanièrrre ouvrant sur rrrez-de-chaussée, avec demi-étages, quatrrre chambrrres et sentier verrrs le rrravin !

— Tu ne peux pas entrer, maman.

— Pfft. Je le sais ! dit-elle en gesticulant.

— Bon.

— Jusqu'à la porrrte, peut-être… ?

— Non, maman…

Elle replaça ses mains sur le volant. Ses ongles recommençaient à pousser.

— Tout ira bien.

Elle se tourna vers moi.

— Bien sûrrr que oui. Ce serrra merrrveilleux, merrrveilleux !

Elle le dit avec force encouragements, comme le font toutes les mères lorsqu'elles espèrent que tout ira bien, mais qu'elles s'attendent au pire.

Nous étions hantées par ce monstre qui occupait toute la place entre nous deux sur la banquette, par ce spectre de ma dernière nuitée chez une amie trois années auparavant. Nous avions été toutes deux étonnées et excitées que j'aie été invitée par cette clique de filles — en fait, que j'aie été invitée tout court par un groupe de filles. Maman m'avait acheté le pyjama dernier cri, une nouvelle brosse à dents et trois gros sacs de maïs soufflé à saveur de fromage « pour partager ». Puis, eh bien…, les filles et moi avions commencé la soirée par une séance de spiritisme au cours de laquelle nous avions essayé d'entrer en contact avec l'Albanais que papa avait supposément tué, car nous pensions que, comme fille du meurtrier, ma présence pouvait aider, et tout et tout. Après cela, tout était allé de mal en pis. À minuit, nous avions joué à cache-cache dans le noir, et je m'étais dissimulée parmi des bottes et des manteaux d'hiver dans un placard jusqu'à 3 h 15.

Elles faisaient semblant de ne pas me trouver.

J'étais finalement sortie furtivement de mon refuge à quatre heures du matin pour appeler maman, après qu'elles se furent toutes endormies.

Mais c'était il y a trois ans et deux déménagements. Maman et moi étions maintenant assises, immobiles, à feindre qu'aucune de nous deux ne pensait à cette dernière fois.

Je flanchai la première.

— Tout ira bien, maman. Ce sont les Blondes. D'ailleurs, j'ai accumulé une valise pleine de compétences de vie, depuis… cette fois-là.

J'avais aussi une arme dans mes bagages, me rappelai-je. J'avais des munitions contre Madison.

— Bien sûr que tout irrra bien.

Elle me serra le genou. Je priai pour qu'elles ne soient pas toutes en train de nous espionner par la fenêtre. Elles penseraient que maman me laissait partir pour le Vietnam.

— La vie est un cabarrret, ma vieille. Va au cabarrret. Allez !

Je ne pourrais aller nulle part tant qu'elle tiendrait mon genou en étau.

— Va goûter au vin, va écouter les musiciens.

Liza Minnelli, *Cabaret*, mauvais signe. Nous étions allées voir ce film une demi-douzaine de fois, juste pour pouvoir passer au travers de l'année 1972. Maman n'a recours à Liza qu'en cas de crise d'angoisse. Je ne pouvais plus supporter davantage d'encouragements de sa part.

— Ce serrra magnifique, vous allez beaucoup rrrirrre, vous allez avoir du plaisirrr, du plaisirrr et encore du plaisirrr, tous vos moments serrront si plaisants, me dit-elle en me faisant un câlin. Je serrrai à côté du téléphone peu imporrrte l'heurrre à laquelle tu appellerrras, je serrrai rrrentrrrée dans... sept minutes, précisa-t-elle en regardant sa montre. Mais tu vas t'amuser et tu n'appellerrras pas, c'est cerrrtain.

Bon, j'étais maintenant officiellement inquiète.

— Je dois y aller, maman.

— Vas-y. Vas-y, et amuse-toi ! Vas-y !

— Maman, lâche mon genou.

Je claquai la portière après le « je », mais avant le « t'aime » lancé par maman. J'attendis jusqu'à ce que la Buick tourne le coin en crachant, puis je sonnai.

Monsieur Cormier, le père de Kit, ouvrit la porte.

— Bonjour, dit-il. Tu dois être Sophie. Entre, les filles sont déjà installées dans le fond de la cuisine, à débattre pour déterminer quelles sortes de pizzas commander.

Je n'avais jamais rencontré de dentiste auparavant, c'est-à-dire jamais en dehors d'une clinique. J'y vais aux deux ou trois ans, comme tout le monde. J'étais un peu nerveuse à l'idée de lui sourire. Il avait l'air amical, mais un peu perdu. Peut-être comme tous les dentistes quand ils ne sont pas entourés de leur équipement nucléaire.

— Hé, Soph ! cria Kit. Dis-moi que tu adores les anchois ! Je suis entourée de béotiennes de la nutrition !

— Nooon ! grommela Madison. Les bébés poissons osseux ne viendront pas contaminer ma pizza. Hé, Sophie.

Je remarquai que Sarah, comme à son habitude, attendait le règlement du litige sur les anchois.

— Peu importe ce que vous voulez, dit-elle en me saluant d'un câlin, ça me va. Ça ne me dérange pas de mettre des ingrédients de côté en mangeant.

Cette façon d'être, en un mot, était la clé du succès de Sarah. Elle était la miss Amabilité du groupe. Dieu merci, ce rôle était déjà pris. Je serais pourrie, dans ce rôle.

— Voilà une femme raisonnable, dit Kit. Je te prédis un mariage heureux.

— Puisqu'il est question de mariage, commença monsieur Cormier, qui venait d'entrer dans la cuisine et qui regardait maintenant sa montre, as-tu appelé ta mère, aujourd'hui ?

Kit était en train d'appeler une pizzéria dont l'annonce figurait dans le répertoire des Pages jaunes ouvert devant elle.

— Non, fit-elle en haussant les épaules. Pourquoi ? Vous vous êtes disputés ?

— Non, gloussa-t-il. Bien sûr que non. Ne sois pas ridicule.

— Cool.

Elle continua à composer le numéro.

— Pourquoi ? A-t-elle dit qu'on s'était disputés ?

Kit roula les yeux.

— Je ne lui ai pas parlé, tu te souviens ? Oh, bonjour ! J'aimerais commander trois grandes pizzas…

— C'est vrai, dit monsieur Cormier en hochant la tête. Bon, dans ce cas, je vais vous laisser, jeunes dames…

C'était comme si personne ne l'avait vu.

— Ce fut un plaisir de vous rencontrer, monsieur, dis-je.

Il me regarda comme si je venais d'apparaître des Pages jaunes.

— Merci, Sophie, pareillement.

Il sourit en regardant l'évier.

— Passez toutes une bonne soirée !

Et il partit.

Après avoir englouti les pizzas, nous descendîmes dans la salle de jeu du sous-sol.

— Vérité ou conséquence, d'accord ? proposa Kit en s'assoyant lourdement dans un fauteuil-sac.

Elle avait présenté son offre comme une question, comme si on avait presque le choix, mais ce n'était pas le cas. C'était le territoire de Kit, son ordre du jour, et même Madison la laissa faire.

— Il est à peu près temps qu'on se bouge et qu'on commence la fête, dit-elle.

Du moins, c'est ce que je pense qu'elle a dit. C'était difficile de comprendre ce qu'elle disait la bouche pleine, et elle avait eu la bouche pleine la majeure partie de la soirée. Où est-ce qu'elle mettait tout ça ? Elle mangeait maintenant des bâtonnets de fromage et des minibarres Oh Henry ! Avant ça, elle avait mangé un sac complet de croustilles Ruffles à saveur de crème sure et oignon, accompagné de presque tout un pot de trempette assorti. Tout ça sans compter les six pointes de pizza hawaïenne et les ailes de poulet au souper.

— D'accord, alors, Soph, commença-t-elle en rotant. Vérité ou conséquence, ma petite ?

— Vérité, répondis-je sans hésiter.

Je sais, c'est ironique, ou un autre mot comme ça, mais je choisis toujours « vérité ». Je sais comment ce petit jeu se joue. On ne fait pas le tour de tous les quartiers d'une ville, comme je l'ai fait, sans apprendre un truc ou deux.

— Paaarfait, ce sera donc un secret à propos d'un garçon.

Bingo. C'était toujours à propos des garçons. Je comptais sur ça, puisque j'allais éclater, tellement j'avais besoin de me confier à quelqu'un, de toute façon. Mais je sais, ce n'est pas comme ça que se joue le jeu.

— Bon..., commençai-je à contrecœur. Mais vous devez jurer, absolument jurer.

Je les regardai d'un air menaçant.

— Vous promettez ?

— Ça reste entre nous, Sophie, promit Madison.

— Je le jure sur ma vie ! lança Sarah, qui fit un signe de croix sur son cœur et leva la main, à la manière des scouts.

— Ouais, ouais, ouais, moi aussi, ajouta Kit en prenant des amandes enrobées de chocolat.

Je regardai chaque Blonde attentivement.

— D'accord. Je suis absolument certaine, vrai de vrai, d'être totalement amoureuse.

— Trop mignon ! cria Sarah d'un ton aigu. C'est qui, c'est qui ?

— Il m'ouvre la porte quand j'entre dans le cours de bio alors que son groupe en sort, et il fait partie de l'équipe de football, donc chaque samedi, il prend quatre œufs sur le plat, du bacon, des saucisses et deux rôties, ce qui nous fait déjà là une réelle conversation. Dois-je en dire plus ?

Kit fit tourner sa main pour me faire subtilement signe d'aller plus vite.

— D'accord, d'accord, confiai-je, une main sur le cœur. Je suis follement amoureuse de… Lucas Pearson.

Madison siffla.

— On a enduré toutes ces stupides parties de football, et tu n'as jamais lâché le morceau ? Bon sang, Luke est le receveur étoile, jura Kit sous cape. Tu vises haut, non ?

— Kit !

Sarah la regarda en fronçant les sourcils, ce qui n'est absolument pas dans ses habitudes.

— Sophie se confie. À part ça, quand as-tu déjà été attentive à quoi que ce soit une seule seconde, durant un match de football ?

— C'est à moi que tu dis ça ? grogna Kit. Toi, tu apportes bien tes romans à l'eau de rose !

Pendant qu'elles se chamaillaient pour savoir qui faisait quoi ou non durant les parties, je me mis à penser à la sonorité de son nom.

C'était la première fois que je disais son nom à voix haute. J'adorais le son des syllabes onctueuses qui résonnait dans ma bouche. Alors, je le redis.

— Lucas Pearson.

Et encore.

— Lucas Pearson.

Un nom si délicieux, si doux sur ma langue.

— Luke Pearson, Luke Pearson, Luke…

— C'est bon, on a entendu, m'arrêta Kit.

Madison lui décocha un regard.

Kit l'ignora.

— Tu *sais* pourtant qu'il sort avec Alison Hoover depuis presque deux ans, n'est-ce pas ?

— Je m'en fiche, répliquai-je.

— Mais tu *sais* ce que ça veut dire, non ? insista-t-elle.

Je haussai les épaules. Madison passa son bras autour de moi.

— Deux ans, Sophie, penses-y bien. Ce que je veux dire, c'est que c'est un garçon plus vieux qui a…, eh bien, ça veut dire, disons, les gens disent…, eh bien, il a probablement déjà fait…

— Il baise aveuglément avec Alison Hoover depuis l'an dernier, ce qui veut dire que c'est un garçon qui est habitué à le faire, et régulièrement ! lâcha Kit en me faisant un clin d'œil.

Son nom s'évapora, et je n'avais plus que le goût de mes plombages en bouche.

— D'accord, pas de problème.

Madison me serra doucement. Elle avait trop côtoyé maman.

— Ça veut seulement dire que Luke a eu sa part de biens usagés et qu'il sera prêt pour une belle et gentille fille comme notre Sophie.

— Tu atterris de quelle planète ? se moqua Kit. Ne le prends pas mal, Soph, mais Hoover a de l'expérience, et pas à peu près, tandis que notre bonne vieille Sophie ici présente n'a même pas de seins !

Nous observâmes toutes ma poitrine.

— Bon ! admis-je. Je sais bien que ça ne se poussera pas la semaine prochaine, ni l'autre d'après. Mais Luke sait que j'existe. Il me dit bonjour tout le temps, dans les couloirs, et au resto Chez Mike, sur le trottoir, et même lorsqu'il est avec d'autres. Il me sourit directement, vous savez, genre, directement à moi.

Elles firent signe que oui de la tête.

Je regardai de nouveau ma poitrine.

— Je peux attendre. L'important, c'est que je suis vraiment amoureuse pour la première fois, de ce genre d'amour éternel. C'était comme ça, avec maman et papa. Elle a vu papa, elle devait le conquérir, et elle y est parvenue. C'est comme ça, dans nos pays.

— Ooooh, c'est tout simplement romantique, s'exclama Sarah. Nous allons toutes t'aider, n'est-ce pas, Kit ?

— Ouais, ouais, sauf que ce sera un plan réellement à long terme, c'est tout ce que je puis dire, concéda-t-elle en prenant une boisson gazeuse aux cerises. Alors, Sarah, mon petit chou, vérité ou conséquence ?

Le visage de Sarah s'illumina.

Long terme. Je pouvais supporter le long terme.

Les garçons se lassent des filles comme Alison, tous les livres le disent.

— Eh bien, vous le savez, commença Sarah sur une lancée. Habituellement, je choisis « conséquence ». J'adore les conséquences et, vous me connaissez, je n'ai pas vraiment de secrets puisque je vous raconte tout au fur et à mesure, mais comme nous parlons de cette Alison et de Luke qui font, disons le mot, des cochonneries, ça m'a fait penser, et je n'ai jamais vraiment voulu vous le cacher, mais j'ai plutôt… On en est bien encore aux garçons, n'est-ce pas ?

Madison hocha la tête.

— Donc, je ne sais pas, vous savez que…

Kit imitait quelqu'un qui s'apprête à se pendre ou à se suspendre ; je me mélange tout le temps. Elle mimait la fabrication d'un nœud coulant.

— Je vous dis absolument tout, vous êtes pour moi les personnes les plus importantes au monde — toi aussi, Sophie. Maintenant, seulement, je ne savais pas comment…

Kit se passa le nœud coulant autour du cou.

— … aborder le sujet. Ce n'est pas contre nos règles, mais j'imagine que d'un autre point de vue, ça aurait pu l'être. Et vous pourriez, je suppose…

Kit grimpa sur un amoncellement de coussins en guise d'échafaud.

— Mais vous vous souvenez du moniteur au camp, de ce que je vous avais raconté à mon retour en septembre, du fait que j'avais dû me débattre comme une folle et lui égratigner la joue pour rester pure, et qu'il n'y avait personne autour, et que je m'étais débattue et débattue ?

Kit nous regarda mélancoliquement du haut de son échafaud et fit un signe de croix.

— Eh bien, oui, vous voyez, l'affaire, c'est que, euh, j'ai comme…

Kit se laissa tomber de l'échafaud et fit la morte sur les sacs de croustilles et de maïs soufflé vides.

— Sarah, pour l'amour de Dieu, crache le morceau !

C'était Madison. Même la reine de glace avait atteint le point d'ébullition.

— Eh bien, je ne l'ai pas fait, avoua Sarah.

— Pas fait quoi ? demanda Kit, complètement remise de sa récente pendaison. Gardé ta pureté ?

— Me débattre.

— Sans blague !

Sarah avait maintenant réussi à capter toute l'attention de Kit.

— Raconte, ma p'tite fleur !

Sarah se mit à raconter que son histoire du mois d'août était presque toute vraie, sauf la partie où elle disait avoir résisté. Il semble que finalement, c'était le moniteur qui avait eu, on ne sait comment, la présence d'esprit de s'arrêter ; pas elle.

— Je vais brûler en enfer, conclut-elle en secouant la tête.

— Jusqu'où t'es-tu laissé faire, Sarah ? Tu as choisi « vérité », alors avoue ! ordonna Madison.

Sarah leva les yeux au plafond et prit une grande inspiration.

— Haute, basse, basse tombante, haute.

— Seigneur Jésus !

Puisqu'elles me regardaient toutes, ces mots avaient sûrement dû sortir de ma bouche. Je ne sais pas pourquoi, d'ailleurs, car je n'avais aucune idée de ce que ça voulait dire.

— Elle a perdu sa virginité ?

— Non, répondit Kit en roulant les yeux. Juste sa tête.

— Je vais brûler, brûler…

— Pourquoi va-t-elle brûler, si elle est encore vierge ?

Madison s'approcha de Sarah pour lui faire un câlin.

— Ça va aller, Sarah. Tout ira bien.

On aurait dit madame Feenie, notre professeure d'économie familiale.

— D'accord, évaluation des dommages ! Le moniteur est à l'université, cette année, n'est-ce pas ? Il ne parle donc à personne qui pourrait te nuire en ce moment ?

— Ouah !

C'était encore moi. Après tout, Luke n'était qu'en cinquième secondaire.

Sarah, d'un signe de tête, répondit par un oui, puis par un non, aux deux questions de Madison. Elle avait l'air abattue, mais pas si abattue que ça, si vous voulez mon avis. Elle n'avait pas tout dit, je le sentais, mais les Blondes étaient déjà passées en mode réparation.

— C'était ton ancien camp, pas vrai ? Tous des jeunes des écoles privées ? Personne de Northern Heights ni de Lawrence Park ?

Encore une fois, d'un signe de tête, Sarah répondit par un oui, puis par un non, à ces deux autres questions.

— Par le fait même, personne n'est au courant et personne ne va le découvrir. Notre réputation et la tienne, vilaine fille, demeurent excellentes. Et *maintenant*, comme pénitence, jeune dame…

Madison lança un regard à Kit.

Kit ne lâchait plus Sarah.

— … tu dois nous donner les détails ! Nous avons besoin d'un récit point par point, sans hésitations, mais avec beaucoup de sentiments, ma p'tite fleur.

J'ai appris beaucoup ; un vrai cours ! Les hautes et les basses[12] étaient un exemple, parmi d'autres, d'interprétation libre des divers termes employés dans le baseball. Atteindre le premier but équivalait

12. N.d.T. : Ces termes réfèrent à des expressions empruntées au jeu de baseball, par exemple « balle haute », « balle basse », « balle basse tombante » lancée en direction du frappeur par le lanceur de l'équipe adverse.

à embrasser quelqu'un, et frapper un coup de circuit vous catapultait dans les mêmes ligues qu'Alison Hoover. Je n'ai pas saisi toutes les nuances, mais je ne me suis pas couverte de honte non plus.

Je pense — non, j'en suis certaine — que je ne m'étais jamais autant amusée de ma vie. Je n'avais jamais ri autant ; du moins, pas avec des jeunes de mon âge. Bien sûr, je restais sur mes gardes, prête à réagir. Finalement, ce ne fut pas nécessaire ; rien ne se produisit. Je réussis même à dormir un peu, en me réveillant à peu près toutes les heures. Vers quatre heures du matin, je devais aller faire pipi ; ne voulant réveiller personne, je me rendis à la salle de bain du rez-de-chaussée à l'aveuglette. Elle était occupée. De la lumière filtrait sous la porte. J'allais m'en retourner, quand j'entendis des bruits de haut-le-cœur. Quelqu'un était très, très malade. Je cognai doucement à la porte.

— Pardon, ça va ? Est-ce que je peux aider ?

Le bruit cessa immédiatement. Quelqu'un actionna la chasse d'eau une première fois, puis une deuxième, et j'entendis la personne s'asperger d'eau vigoureusement.

La porte s'ouvrit. Je fus assaillie par la puanteur. Je n'avais jamais rien senti d'aussi dégueulasse, pas même dans les toilettes de la gare d'autobus, ni même au pénitencier. C'était une abominable odeur aigre. Ma gorge se serra.

Kit me fit un petit sourire tremblotant.

— Je vais mieux.

— Tu es certaine ?

J'essayais de ne pas avoir de haut-le-cœur moi-même.

— Ouais, répondit-elle en hochant la tête. Ça doit être à cause de toute cette nourriture.

— Ouais, eh bien, sans blague, dis-je en hochant la tête, tu as englouti une combinaison mortelle de trucs.

— Ouais, grogna-t-elle. Madison est toujours sur mon dos à ce sujet.

— D'accord, eh bien, bon, laisse-moi aller chercher Mad…

— Non, me coupa-t-elle en me prenant par le bras. Écoute, ne dérangeons personne pour ça. Je ne veux pas ruiner une minute de quoi que ce soit. Nous avons passé une si belle soirée. N'est-ce pas, Soph ?

— Oui, bien sûr, répondis-je en hochant la tête.

Nous restâmes encore un moment sur place à dodeliner la tête dans l'éclat de la lumière de la salle de bain. Je ne saurais comment l'expliquer, mais je savais d'une certaine façon que nous jouions encore à Vérité ou conséquence.

— Ne t'en fais pas, Kit, tant que tu te sens mieux. Je peux t'apporter ce que tu veux : un Bromo Seltzer, du thé, quelque chose ?

— On est chez moi, imbécile.

— Oh, c'est vrai.

Elle me donna un petit coup de coude.

— Merci quand même.

J'avais encore envie de pipi, mais il n'était pas question que j'entre là-dedans. Je pourrais me retenir.

Nous redescendîmes au sous-sol bras dessus, bras dessous.

Il y avait assez d'ustensiles sur la table pour déclencher une attaque contre le reste des citoyens de Rosedale. Au moment où la mère de Madison avait finalement réussi à joindre la mienne pour l'inviter à un souper « en famille[13] », je me sentais plutôt invincible. Je faisais en effet dorénavant partie du groupe. L'année était commencée depuis à peine trois mois, et les Blondes et moi nous assoyions ensemble dans le cours d'anglais, nous allions dîner ensemble au resto Chez Mike, nous excellions ensemble au basket, et j'avais même été la vedette de ma première soirée, nuit incluse, chez l'une d'elles. Bon, d'accord, je n'avais pas exactement été la vedette, mais je m'étais bien intégrée.

Puis, je vis la table de la salle à manger.

Qui peut manger de cette manière ?

13. N.d.T. : En français dans le texte original.

J'avais l'impression de recommencer ma première journée d'école. Et si maman et moi ne réussissions pas à faire concorder nos histoires ? Soyons honnêtes, notre dossier à cet égard n'était guère encourageant. Et si maman agissait comme... elle-même ? Nos hôtes se retiendraient, naturellement, parce qu'ils sont trop polis et bien élevés pour lui lancer — nous lancer — un regard ébahi. Mais intérieurement, ils seraient très ébahis. Toute ma popularité difficilement acquise s'envolerait sur-le-champ. Tout ça m'avait frappée, au moment où je regardais la coutellerie. Franchement, trois couteaux différents ?

Le juge, le grand-père de Madison, guida maman jusqu'à la salle à manger. Pendant qu'elle avançait, elle me caressa les cheveux et murmura : « Tout est beau, ne t'inquiète pas, commence parrr l'extérrrieurrr et utilise un ustensile à la fois en te rrraprrrochant de l'assiette. Obserrrve madame Chandler. »

Bien sûr, comme si maman y connaissait quoi que ce soit.

Tout était blanc, blanc sur blanc, sauf l'argenterie, qui était plutôt blanchâtre, à bien y penser. J'étais assise à côté de Madison, en face de maman, qui était suffisamment proche pour que je puisse lui lancer des regards furieux, mais pas assez pour lui donner des coups de pied.

Dans une petite assiette, qui reposait sur une pile d'autres assiettes, on nous avait servi quelque chose ressemblant à un pamplemousse frit orné d'une cerise au marasquin. Avaient-ils vraiment besoin de sortir leurs assiettes en porcelaine au grand complet ? Et pourquoi devions-nous déjeuner au souper ? Le juge leva sa coupe de vin en l'honneur de maman.

— Merci de vous joindre à notre famille ce soir. Notre Madison nous parle sans cesse de Sophie et de sa jolie mère. Nous sommes ravis que vous ayez pu venir.

Je sentais comme une obligation de prendre des notes, d'écrire mes observations sur leur manière de parler, de manger, de se regarder les uns les autres et sur quel ridicule couteau utiliser. Je pourrais ensuite analyser mes données et en venir à une conclusion, pendant que je serais aux toilettes ou ailleurs.

Le père de Madison marmonna un « bravo » et cogna doucement sa coupe contre celle de maman. Maman fit un signe de tête, mais elle attendit qu'ils prennent tous une gorgée pour faire de même, ce que je considérais comme impoli, mais personne d'autre ne sembla le remarquer. Je fus déçue de constater au goût que ma coupe contenait, plutôt que du vin, une boisson gazeuse au gingembre.

J'observai attentivement madame Chandler à l'autre bout de la table. Elle étira le bras loin vers la droite et saisit un ustensile qui ressemblait à mon sens à une fourchette pour gerbille, qu'elle introduit directement dans le drôle de pamplemousse. Mais où maman avait-elle appris ?

Je me mis à ruminer mes pensées en m'approchant de la cerise au marasquin. Pourquoi nous avaient-ils donc invitées ? N'avaient-ils pas assez d'amis comme eux ? S'encanaillaient-ils ? Madison gazouillait sur la vie stressante de l'adolescente moderne, ce qui eut pour effet de déclencher maman. Elle avait été silencieuse de longues minutes. Je savais que ça ne pouvait pas durer.

— Elle ne fait pas que chanter sous la pluie[14]. Attachez vos ceintures !

— Le strrress va te tuer bien rrraide !

Maman agita sa fourchette pour gerbille, pour plus d'effet.

Le juge fit « hum », réfléchissant à cette opinion profonde.

— Je ne pourrais être plus d'accord avec vous, madame Kandinsky, commenta madame Chandler.

Fabi entra pour nous débarrasser des écorces de pamplemousse. Elle me fit un clin d'œil par-dessus la table.

— Magda, s'il vous plaît.

— Merci, Magda, et veuillez m'appeler Thelma.

Ça y est.

— Zelma.

— *Th*…, prononça madame Chandler, avançant la langue entre ses dents, comme si je n'avais pas fait exactement de même chaque jour, sans exception, durant toute ma vie.

Puis, elle sourit à maman en prononçant de nouveau « Thelma ».

---

14. N.d.T. : Déformation des paroles de la chanson *Je chante sous la pluie*, tirée du film *Chantons sous la pluie*, sorti en 1952.

— Zelma, répéta maman en lui rendant son sourire.

— Vous savez, je préfère de beaucoup la manière dont vous le dites, Magda. C'est plus sophistiqué. Mais pour en revenir à ce que vous disiez, Paul a passé des années à lire tous les ouvrages relatifs à l'incidence du stress sur la santé. Le sujet t'intéresse vraiment, n'est-ce pas, chéri ?

Monsieur Chandler rougit. On aurait dit que ses taches de rousseur s'étaient illuminées d'un coup.

— Eh bien, c'est vrai, Magda. Je siège au conseil de l'hôpital Mount Sinai et je fais partie depuis 1971 d'un groupe qui, à cet établissement, tente de quantifier et qualifier les effets délétères du stress sur la santé.

— Vous devriez s'il vous plaît me faire lire cerrtains de ces documents, lui dit maman en lui tapotant la main. Mais ici, vous étudiez ce que tous savent déjà dans les vieux pays. Les nerrrfs peuvent vous tuer. Comme grrrand-pèrrre Oleg, n'est-ce pas, Sophia ?

Bon... Jusqu'à cette seconde, j'avais pu continuer à m'imaginer que personne à cette table ne savait que nous étions parentes, j'avais pu laisser croire que j'étais aussi déroutée que chacun devant cette étrange créature. Mais là, c'était fichu, si elle m'associait dans la conversation au grand-père Oleg, digne des personnages des dessins animés Looney Tunes.

Fabi apporta sur un chariot un genre de truc portant le nom de « sole amandine », ou plus simplement du poisson avec des noix, en ce qui me concerne. Ça goûtait le papier. En fait, je suis sûre que c'était bon, et tout et tout. Seulement, lorsque je suis anxieuse, j'ai tendance à me réconforter en mordillant les coins de mes livres. Je suis parfois si anxieuse que j'ai l'impression d'être en train de mâchonner un livre, même si ce n'est pas le cas. Jusqu'à maintenant, le souper goûtait *Crime et châtiment*.

— S'il vous plaît, racontez-nous-en davantage sur ce grand-père Oleg, insista le juge.

Il prit le gros couteau ridicule. Je m'empressai de faire comme lui.

— *Ya*, dans mon vieux pays, en Bulgarrrie, pas en Pologne ni en Hongrrrie, j'ai été parrrtout, mais c'est une autrrre histoirrre. Grrrand-pèrrre Oleg était le mairrre du village, quand les communistes sont arrrivés, *ya* ?

Le juge hocha la tête en regroupant de la nourriture qu'il poussait par l'*arrière* des dents de sa fourchette. J'essayai. C'était plus difficile que ça en avait l'air.

— Et a-t-il dit « *que serrra, serrra* », quand ils sont venus ? Non, monsieur ! Ma maman lui crrrie : « Fais semblant d'êtrrre communiste, idiot ! Ces perrrsonnes sont dangerrreuses ! »

Maman ne semblait pas éprouver de difficultés à utiliser sa fourchette à l'envers.

Elle fit une pause totalement inutile, pour créer un effet dramatique. Ils étaient déjà tous suspendus à ses lèvres. Fabi avait cessé de servir les petits légumes.

— Non ! Il s'est battu. Il les a combattus de toutes les manièrrres, clandestinement, ouverrrtement, dans la prrrison, en dehorrrs de la prrrison — grrros strrress. Il est tombé rrraide morrrt à seulement 56 ans. Pouf !

Maman claqua des doigts.

J'étais fascinée malgré moi. Je ne savais pas que ce vieux fou de grand-père Oleg avait été maire. Je pensais qu'il était le roi des bohémiens, ou quelque chose du genre.

— Ce sont donc effectivement les communistes qui l'ont tué, madame Kandinsky ? demanda Madison.

— *Ya*, bien sûrrr, répondit maman en lui souriant. Les communistes l'ont eu parrr le strrress et les nerrrfs.

Le grand-père de Madison ne pouvait s'arrêter de fixer maman. C'était comme s'il regardait une tarte aux pacanes. Normalement, son autorité de juge ressortait en toutes circonstances. Mais ce soir, ce soir, il était tout ramolli.

— Quelle a été la cause officielle du décès, Magda ? lui demanda-t-il.

Maman soupira en beurrant son pain.

— Cancerrr du cœurrr.

Incroyable. N'aurait-elle pas pu dire, pour une fois, « je ne sais pas » ou « je n'en suis pas certaine » ? Cancer du cœur, seigneur !

— Et… il ne fumait même pas !

— Et voilà ! Preuve irréfutable ! dit le juge. Ce ne peut être rien d'autre que ces fichus communistes.

— Papa ! le sermonna madame Chandler. Nous sommes à table.

— Oh.

Il avait l'air confus.

Je m'étais toujours demandé à quoi ressemblait un air confus. C'était à ça.

— Mesdames, veuillez m'excuser, s'il vous plaît.

Maman lui fit un petit signe de la main.

Et là, tout de suite, à ce moment-là, j'eus le choc de ma vie. C'était peut-être la lueur des chandelles ou mes nerfs exténués, mais quand je jetai un coup d'œil vers maman, je ne la reconnus pas.

L'espace d'une seconde, je vis ce qu'ils voyaient.

Une belle femme.

Une belle femme qui riait.

Maman ?

Je détournai le regard.

C'était tout simplement trop étrange.

Ils continuèrent à papoter, cherchant à savoir si le stress pouvait être quantifié et quelle était la valeur des remèdes des vieux pays par rapport aux produits pharmaceutiques. Ils continuèrent à rire et à parler, service après service.

Le juge ne cessait de dire à maman que sa présence exerçait un effet « tonique ». Je n'étais pas certaine de ce qu'il voulait dire, mais il ne le disait pas méchamment.

Nous étions en train de nous attaquer à un gâteau chaud renfermant miraculeusement de la crème glacée, lorsque madame Chandler s'enquit de notre voiture.

— Je ne crois pas avoir déjà vu une auto rose auparavant, Magda. Je soupçonne que se cache là aussi une bonne histoire.

— *Ya*, bien sûrrr ! dit maman, toute rayonnante. Je l'ai gagnée en battant le rrrecorrrd des ventes chez Marrry Kay trrrois années de suite. J'ai été la meilleurrre au Canada.

Maman gloussa dans sa serviette.

— Il faut dirrre que j'étais la seule reprrrésentante au Canada.

Le juge lui tapota la main.

— Quel courage incroyable, Magda !

Incroyable, il lui avait tapoté la main.

— Vous parlez de la reine des cosmétiques de Houston ? demanda madame Chandler.

— Bien sûrrr, et mon anglais n'étais pas aussi bon dans ce temps-là, répondit maman en examinant madame Chandler. Si je peux me permettre, Zelma, vous êtes une trrrès, trrrès belle femme. Un peu de farrrd à joues, un meilleurrr rrrouge à lèvrrres, on arrrange vos sourrrcils, et vous n'aurez plus besoin de cacher vos atouts.

Seigneur Jésus.

Madame Chandler agita sa serviette en direction de maman.

— Oh, Magda, allons donc !

— C'est vrai, maman ! souligna Madison.

Maman donna un petit coup de coude à monsieur Chandler.

— Une femme complètement fantastique, une vedette de cinéma, même. Elle aurait pu être Ava Gardner dans *Le soleil se lève aussi*. Tyrone Power est un peu trop présent, mais il est joli aussi.

Madame Chandler essayait de ne pas avoir l'air flattée.

— Je vais vous arrranger ça, voulez-vous ? Je maquille encorrre mes amies. J'ai encorrre tous mes échantillons.

— Eh bien, commença madame Chandler en avalant une gorgée de vin. Eh bien, si vous croyez… et si ça ne vous embête pas trop…

Super. Et voilà, elles allaient maintenant se mettre à coucher l'une chez l'autre, à se faire des manucures, et maman, le temps d'un clin d'œil, si lourd soit-il d'ombre à paupières, n'allait pas manquer de s'échapper et de révéler l'histoire de papa.

Maman se tourna vers le juge.

— Oh, quant à vous, bien sûrrr, vos sourrrcils sont trrrop parrrfaits.

Dégueulasse. Je regardai mon couteau à beurre.

— Votre mari est poète, n'est-ce pas, Magda ? demanda-t-il.

Tous les bruits de la pièce furent soudainement couverts par mes battements de cœur, d'une intensité à déchirer les tympans.

— Était, dit maman.

— Était ? répéta le juge. Oh, était ! Pardonnez-moi. Quel manque de considération ! Bien sûr, il était poète.

Il lui tapota la main.

Il y avait vraiment trop de tapotements, ce soir.

— *Ya*, dit maman en reniflant. En Pologne, sa famille était noble, et il était trrrès, trrrès instrr-ruit pour pas grrrand-chose, alorrrs il est devenu poète.

Elle prit une autre gorgée de vin.

— Tous les hommes polonais se crrroient prrrinces, à cause de leurrr maman polonaise.

Tous gloussèrent.

— Dans le cas de Slavko, c'était un peu vrrrai, continua maman en haussant les épaules. Il avait un peu de sang noble. Mais au Canada, il écrrrivait un peu et buvait beaucoup. C'était difficile pourrr lui, tous ces sentiments nobles et ces poèmes. Mais c'était un homme bon, bien bon.

Dieu merci, nous avions seulement décidé de le faire passer pour mort, pas de le rendre sobre. En ce moment, l'une d'entre nous avait oublié de ne pas s'échapper en ce qui concerne la boisson.

— Mary Kay, c'est pour ça ? demanda le juge.

— Marrry Kay, c'est pourrr ça, lui sourit maman. Et maintenant, je suis agente immobilièrrre prrrofessionnelle.

— Remarquable, fit-il.

Qu'est-ce qui était remarquable ?

— Maman ? dit Madison. Sophie et moi pouvons-nous s'il te plaît nous retirer ?

— Bien sûr, ma chérie. Et si nous, les adultes, allions prendre le café dans la bibliothèque ?

Ah non, nous ne pouvions pas nous séparer. Dans le temps de le dire, maman serait en train de leur lire l'avenir dans leur de tasse de café. Je devais les accompagner, pour surveiller ce qui allait sortir de sa bouche.

— Allez, viens, m'ordonna Madison en m'entraînant dans l'escalier. Je pensais que tu mourais d'envie de savoir comment nous allions mettre le grappin sur Luke.

D'accord, c'était vrai. La situation se détériorait. J'avais passé les dernières semaines à me ronger les sangs à ce sujet. Sans arrêt. Mon propre corps m'avait trahie. J'étais habitée de tous ces sentiments et sensations dont je ne savais que faire.

— Mais maman, lui dis-je.

— Ils l'adorent, grogna Madison. Et grand-père l'adore *vraiment*. Viens. Elle n'a pas besoin de toi.

Elle me tira par le bras.

Je grimaçai en me rappelant le visage de maman dans la lueur des chandelles. Cinquante choses bizarres me frappèrent simultanément. La plus étrange était cette constatation stupéfiante que maman avait vécu sa propre vie avant mon arrivée dans le décor. Une vie *en dehors* de la mienne, même. Impossible, mais vrai. En termes clairs, je *savais*, rationnellement, au point de vue strictement mathématique, qu'elle avait vécu sa propre vie avant moi… Je connaissais toutes les histoires, j'aimais toutes les histoires de son enfance et de son adolescence à Sofia et à Budapest, sa rencontre avec papa, mais, d'une certaine manière, tout ça n'était pas si vrai. Jusqu'à maintenant.

— Ça va ?

Madison cherchait ses vernis à ongles. Nous allions élaborer une stratégie pour Luke en nous faisant des pédicures.

— Bien sûr, super.

Je me laissai tomber sur son lit.

Nous pouvions entendre les adultes rire en bas, dans la bibliothèque.

Maman, ma mère, y était, belle, se débrouillant sans moi, et tout et tout. Depuis combien de temps en était-il ainsi ? Pour ce qui est de sa beauté, je sais, elle était belle, tout le monde le disait : les tantes, papa, les propriétaires de charcuterie et les nettoyeurs à sec. Mais ce soir, je le constatais. C'était déroutant. C'était plus facile quand je n'avais à me soucier que de ses humeurs et de son anglais tiré des films.

J'avais mal à la tête.

C'était quand même une bonne soirée ; tout s'était déroulé parfaitement. Le souper s'était bien passé, et mes ongles d'orteils étaient magnifiques, avec ce vernis *Cerises dans la neige*. Je fis un exposé de 20 minutes sur l'agréable odeur de Luke.

C'était génial.

Génial, mais quelque chose avait changé.

Je ne sais pas.

C'était peut-être mieux avant.

J'entendis leurs rires râpeux avant même de sortir de l'ascenseur.

Les tantes étaient chez moi. Elles n'étaient pas venues ensemble depuis des semaines. Maman devait sûrement chercher à fuir en planifiant une soirée de visites de maisons qui se terminerait particulièrement tard.

Je rassemblai mes forces en ouvrant la porte. Les tantes, collectivement, représentaient une expérience *intense*, sans compter que chacune d'elles fumait comme une cheminée d'usine en plein mois de janvier.

— Sophia ! *Buboola !* cria tante Eva de la table de cuisine. Arrrête de te cacher dans l'entrrrée et viens te fairrre embrrrasser. On se meurrrt à petit feu de te voirrr.

Je déposai mes livres près de la porte et me dirigeai directement dans la cuisine pour l'inspection.

Pas d'étude, ce soir. Toutes assises à la table, elles m'accueillirent d'un « aaah » à l'unisson en me voyant. Tante Eva, tante Luba et tante Radmila, aucune n'était vraiment parente par le sang, mais quand il était question de maman et moi, elles revendiquaient toutes un droit psychotique de propriété.

— Elle est encorrre plus belle que la derrrnièrrre fois, lança tante Radmila. Mais j'y pense, peut-êtrrre un peu blême ?

— De quoi parrrles-tu ? insista tante Luba. Je pense simplement qu'elle est un peu surrrmenée. Es-tu malade, mon bébé ?

— Comment, malade ? Elle est magnifique, parrrfaite ! insista tante Eva. Peut-êtrrre trrrop maigrrre, mais ça ne se rrremarrrquerrra plus lorsqu'elle aurrra des nichons.

Les tantes continuèrent imperturbablement à examiner chaque centimètre carré de mon corps. Elles le faisaient chaque fois que l'on se voyait, y compris le même jour, alors après des semaines... Les tantes s'étaient servies dans les dernières provisions de masques de beauté Mary Kay de maman. Le visage de tante Eva était entièrement dissimulé derrière une épaisse couche de boue verte. Tante Luba était presque verte, elle aussi, à l'exception de son nez, d'un bleu éclatant. Et finalement, tante Radmila, qui s'estimait la plus « artistique » des trois, avait agencé les deux couleurs en ingénieux motifs de courtepointe.

— Il ne nous rrreste plus de bons prrroduits, de..., commença tante Radmila en jetant un coup d'œil au pot devant elle, de la... *Boue jeunesse éterrrnelle*. Et nous avons dû prrrendrrre du...

Elle prit un pot bleu avec dédain.

— ... du *Rrrafrrraîchissant clarrrifiant*. Moi, je ne me sens pas rrrafrrraîchie. Embrrrasse-moi, maintenant.

L'opération s'avéra délicate, entre les cigarettes fumantes et les masques faciaux qui séchaient. Une fois ma tâche effectuée, je me versai du café turc.

— Où est maman ?

— Chut, fit tante Luba en inclinant la tête d'un grand geste théâtral en direction de la salle de bain. Elle s'exerce.

Nous étions toutes incitées à considérer tante Luba comme une petite fleur délicate, principalement par tante Luba elle-même. Chacune respectait la consigne, indépendamment du fait que tante Luba avait l'apparence d'un tonneau et que ses pieds étaient au moins aussi larges que longs. Ce détail ne l'empêchait pas de ne porter que de fines sandales à lanières travaillées, été comme hiver. Ses pieds avaient toujours l'air de déborder de ses chaussures. Enfant, cela me fascinait. Chaque fois que je la voyais, je lui demandais au moins cinq fois si elle avait mal aux pieds. Toujours, sans exception, entre deux bouffées de cigarette, tante Luba répondait : « Il faut souffrir, pour être belle, Sophia. Il faut l'accepter. » Autre détail sur tante Luba : sa voix ne correspond pas à son corps. En effet, elle a l'air d'avoir été créée par Dieu dans le but précis de tester la force des vents lors des tempêtes, et pourtant elle parle toujours d'une petite voix légère et essoufflée.

Je regardai la porte close de la salle de bain.

— Elle s'exerce à quoi ?

— Elle doit faire visiter des maisons à un gros client important à 16 h 30, m'informa tante Eva, dont la voix tonitruante aurait dû provenir de tante Luba.

Tante Eva avait travaillé « surrr scène », à Budapest. Elle se considérait donc comme la plus distinguée des tantes. Il ne se passait pas une seule minute sans que les deux autres contestent farouchement cette opinion, jusqu'à ce que tante Eva décide toujours d'abattre sa carte maîtresse en leur rappelant qu'elle avait un vague lien de parenté avec la mère de Zsa Zsa Gabor.

— Tante Eva, dis-je, ton visage se fendille.

Elle avait de profondes fissures vertes sur le front.

— Ouais ! dit d'un ton brusque tante Radmila, le pétard croate. Je le lui ai déjà dit trois fois : c'est écrit « 20 minutes », sur l'emballage. Et ça fait deux heures !

Tante Eva, dont la devise était « plus, c'est mieux », haussa les épaules.

— La mèrrre de la petite parrrle au mirrroirrr, dans la salle de bain. Qu'est-ce que je peux fairrre ?

Tante Luba me serra dans ses bras.

— Ta maman t'a déjà fait un souper trrrès, trrrès santé.

Elle fit la moue.

— Il y a du poisson puant et du brrrocoli en trrrain de sécher dans le fourrr.

Puis, à mi-voix :

— J'ai un beau salami dans mon sac, Rrradmila a du bacon fumé, et Eva, un strrrudel. Nous attendons seulement que ta mèrrre parrrte.

Les tantes, Dieu merci, étaient d'excitantes gardiennes inconvenables.

Je me glissai à côté de tante Eva et bus une gorgée de mon café. Beaucoup trop sucré. Exactement comme je l'aime.

La porte de la salle de bain s'ouvrit, et maman entra dans la cuisine avec grâce.

— Eh bien ?

Tante Luba mit une main sur sa poitrine et haleta.

— Tu as l'airrr de la rrreine des agentes immobilièrrres !

— Natalie Wood devrrrait avoir ton allurrre ! dit tante Eva.

— Tu vas les faire mourir, renchérit tante Radmila pour ne pas se faire battre dans cette enchère d'hyperboles.

Maman portait son plus élégant tailleur-pantalon brun clair et noir en jersey, qu'elle n'avait presque jamais mis. Elle étincelait.

— Des anglicans, Sophia ! Je vois des anglicans ! C'est prrrometteurrr. Les anglicans achètent n'importe quoi.

Je ne l'avais pas vue aussi excitée depuis la fois où j'avais été sélectionnée au sein de la première ligne. Elle ne portait pratiquement jamais son plus beau tailleur-pantalon. Il était réservé aux occasions spéciales, comme lors de l'annonce de la sentence de papa.

— Tu es ravissante, maman. Vraiment !

Elle m'attrapa et m'embrassa sur la tête.

— Les tantes rrrestent avec toi. J'ai un bon poisson dans le fourrr, sans la tête, comme tu aimes. J'ai lu que le poisson est bon pourrr le cerrrveau, trrrès bon pourrr les mathématiques.

— *Ya, da*, bien sûrrr, acquiescèrent les tantes d'un signe de tête.

— Souhaitez-moi bonne chance, dit maman en se dirigeant *avec assurance* vers la porte.

— Bonne chance ! lui criâmes-nous.

— Je rrréfléchissais, soupira tante Luba quand la porte se referma. Que vont penser ces anglicans, en voyant la voiturrre rrrose orrrnée d'autocollants Marrry Kay ?

— Pfft ! fit tante Eva en haussant les épaules. Quand notrrre superrrbe Magda ouvrrrirrra la bouche, ils verrront ses dents.

— Ils *boiront ses paroles*, la corrigeai-je.

— C'est ce que j'ai dit. Salami ?

Je ne sais pas pourquoi, mais leurs tics verbaux m'agaçaient. Je laisse passer les roulements de R de maman, mais chez les tantes, et tante Eva tout particulièrement, c'était devenu une manie compulsive.

Elles sortirent le bacon, le salami, le strudel et, du sac à main délicat de tante Luba, un flacon de brandy. Les tantes devaient s'en apporter. Théoriquement, aucune goutte d'alcool n'avait été tolérée chez nous depuis…, eh bien, depuis papa.

Tante Eva se mit à la recherche de tout petits verres dans les armoires, puis elle versa du brandy à chacune.

— Živili ! Santé ! dit tante Radmila en levant son verre.

— Živili !

Nous cognâmes nos verres.

— Alorrrs ! dit tante Radmila.

Les visages masqués des tantes se tournèrent vers moi.

— Alors, poursuivis-je sans conviction.

Maman partie, sans plus aucun risque, les tantes s'attendaient à un rapport complet et honnête.

— Alors..., jusqu'à maintenant, tout est fantastique.

Elles ne clignèrent même pas des yeux.

— Le plan stratégique auprès des Blondes, mes nouvelles amies, va très bien aussi, et tout et tout. Même classe, même équipe.

— Nous savons tout cela, dit tante Eva en reniflant.

On ne peut pas embobiner les tantes.

— Eh bien, je crois que Madison est celle que je préfère, et c'est tant mieux, parce qu'elle décide tout, sans que ça paraisse, mais avec efficacité.

Elles s'allumèrent toutes une autre cigarette.

Tante Eva me prit la main.

— Cette Madison est folle de toi ?

Elles soulevèrent toutes un sourcil — ce qui n'est pas peu dire, vu la consistance de béton des masques.

— Ouais, je crois qu'elle m'aime bien.

Je pensai au coup de théâtre de l'annonce de son adoption. « De l'argent en banque », comme dirait papa.

— Tout ira bien, cette fois, tante Eva. Je le sens vraiment.

Elles soupirèrent toutes.

— Bon, quelque chose d'autrrre ? demanda tante Radmila.

— S'il te plaît, Rrradmila, dit tante Eva. Ne mets pas de prrression surrr la pauvrrre enfant. Si elle a quelque chose à nous dire, elle va le dirrre, *ya* ?

Elle plaça sa main sur la mienne en se versant un autre minuscule verre de brandy.

— Seulement, n'attends pas trrrop, s'il y a un prrroblème comme aux autrrres écoles. On ne pourra rrrien fairrre, si tu attends trrrop.

— Non, vraiment, ça va bien. Je suis allée passer la nuit chez Kit.

— Nous le savons. Nous sommes venues tenirrr compagnie à ta mère à côté du téléphone, juste au cas, m'apprit tante Luba. Mais ça n'a pas serrrvi !

Nous restâmes assises un moment en silence à revivre cette nuit formidable au cours de laquelle, n'ayant pas été humiliée, je n'avais pas eu à téléphoner. Je pris une gorgée de brandy et la laissai descendre jusqu'à mes ongles d'orteils couleur *Cerises dans la neige*.

— Eh bien, tant qu'elles sont folles de toi, c'est parfait, dit tante Radmila en mordant dans son troisième morceau de strudel.

Elle était la meilleure cuisinière du groupe et la seule tante qui avait encore un mari intact, mais oncle Dragan était si tranquille et effacé que nous en oubliions toujours son existence.

Tante Luba, au contraire, se considérait comme fraîchement veuve, ayant perdu oncle Boris il y a à peine 11 ans. De son côté, tante Eva venait tout juste de divorcer de son quatrième mari. Tante Eva considérait, en tant que Hongroise, qu'il s'agissait d'un droit de naissance. Pas seulement de divorcer, mais de bien divorcer. Conséquemment, elle était la plus riche des tantes.

— Et qu'en est-il de ce Grrrec pourrr qui tu trrravailles ? demanda tante Eva.

— Mike, précisai-je en hochant la tête. C'est un Macédonien.

— *C'est* ce que j'ai dit. Et puis ?

— Il est super, tante Eva, tu l'adorerais. Il est au courant pour… pour tout : papa, la prison, tout.

Elles prirent toutes une grande inspiration.

Et se versèrent toutes un autre miniverre de brandy.

— Peut-on fairrre confiance à un Grrrec ? demanda tante Eva.

— Macédonien, rectifia tante Luba.

— *C'est ce que j'ai dit.*

Je pris une petite gorgée de mon brandy. Je devais calculer ce que je buvais, en présence des tantes. Elles ne me laissaient pratiquement jamais prendre un deuxième verre.

— Hé ! Saviez-vous que nous sommes passées en demi-finales ?

— Non ! Fantastique ! Incrrroyable. Je ne me peux plus !

Nous trinquâmes encore.

— C'est parrrce que tu es une athlète olympique, trancha tante Eva avec beaucoup d'autorité. Tu es rrrendue à combien de coups de cirrrcuit ?

Son masque s'écaillait sur son strudel.

— Euh, beaucoup. Et, j'ai gardé le meilleur pour la fin.

— *Yaaa... ?*

— Il y a un garçon.

— Oooh !

Elles tapèrent énergiquement sur la table, à l'annonce de cette nouvelle.

— Dans ta classe ? demanda tante Luba.

— Non, répondis-je en prenant ma dernière gorgée de brandy. C'est un peu ça, le problème. Il est en dernière année. Mais je le vois au resto Chez Mike les samedis. Il fait partie de l'équipe de football senior.

— Son nom ? exigea tante Luba.

— Luke, Lucas Pearson.

Un « aaaah » sortit simultanément de leur bouche.

— Il est beau ? demanda tante Radmila.

— Bien sûrrr qu'il est beau, grogna tante Eva. Notrrre Sophia l'aime, donc il est beau, beau et bon.

— Et en dernière année, donc il ne sait pas vraiment que j'existe, sauf quand il se lève pour m'apporter sa tasse de café lorsqu'il veut se la faire remplir de nouveau.

Elles réfléchirent attentivement.

— Et la semaine dernière, il m'a apporté son plateau vide avec tous les ustensiles et les verres empilés proprement.

— Ah ! fit tante Luba en lançant un doigt en l'air.

— Mais d'un autre côté, grognai-je, il a une copine, Alison Hoover.

Ce détail ne sembla pas les impressionner.

— Elle est superbe, ajoutai-je.

Elles haussèrent les épaules.

— Ça ne fait rrrien, me rassura tante Eva. Tu veux ce garrrçon, tu aurrras ce garrrçon.

— Ouais, mais cette Alison, en plus, eh bien, il paraît qu'elle…

— S'il te plaît, dit tante Eva en agitant la main. Il t'apporrrte son plateau. Tu l'aurrras, c'est le tien. Tu es la fille de ta mèrrre.

— Quand ? Comment ?

J'avais peut-être commencé à geindre.

Pause silencieuse.

— Quand tu aurrras des nichons, tu aurrras ce garrrçon, annonça tante Luba.

— Bon, eh bien !

Je pris une lampée de mon verre vide.

— Je suis l'élève la plus planche à pain de toute l'école, et ça inclut la plupart des garçons.

Elles jetèrent un regard accusateur à ma poitrine.

— C'est à cause de l'azote qu'ils mettent dans les cérrréales, dit tante Eva. C'est un complot communiste.

Seigneur Jésus.

— *Ya !* s'exclama tante Radmila en cognant sa main sur la table. C'est ça ! Les cérrréales peuvent rrrester 200 ans dans la cuisine et goûter exactement la même chose. L'azote, c'est vrrraiment mauvais.

— *Ya*, acquiesça tante Luba en hochant la tête. Tu manges trrrop de Cheerrrios.

— Mais tout ça n'a aucun…

— Porrrtes-tu le soutien-gorrrge que nous t'avons acheté ? demanda tante Eva.

— Il est beaucoup trop grand !

Je geignais, indéniablement.

— Non, non, non, dirent-elles en faisant des « tss-tss ».

Tante Eva prit mes mains dans les siennes.

— Tu dois inspirrrer tes nichons. C'est ce que ferrra un beau soutien-gorrrge trrrop grrrand. Je te dis la vérrrité. Ça va les encourrrager à rrremplirrr les bonnets.

— *Ya*, renchérit tante Radmila en hochant la tête. Un bon soutien-gorrrge va leurrr montrrrer comment, c'est absolument cerrrtain ! Et, et… tu dois trrravailler pourrr attirrrerrr le beau garrrçon. On ne passe pas comme ça, continua-t-elle dans un claquement de doigts, d'invisible à belle. Le temps est venu que tu embrrrasses des garrrçons. Et ce serrrait bien que le beau garrrçon te voie faire, bien sûrrr…

— Pas avec la langue, cependant, nuança tante Luba en agitant le doigt. C'est trrrop difficile, au début. Peu imporrrte ce qui arrrive, garrrde les dents serrrées.

— *Ya*, acquiescèrent-elles toutes.

— Oh, allez, vous savez toutes que personne ne m'a jamais embrassée.

— C'est le moment, insista tante Luba.

— *Ya*, dirent les autres en hochant la tête.

— Tu dois trrrouver un garrrçon pourrr t'exerrrcer, dit tante Eva comme s'il s'agissait d'aller chez Loblaws et d'en prendre un sur une tablette.

Le visage d'Eva s'illumina d'enthousiasme.

— Tu es le plus bel ange, tu es parrrfaite en tout, sauf pourrr les nichons, qui, malgré tout, sont parrrfaits aussi. Ils tardent un peu à bourgeonner, c'est tout.

— À pousser, rectifiai-je. Ils tardent un peu à pousser.

— C'est ce que j'ai dit. Quand les nichons de ta maman sont apparrrus, elle aurrrait pu avoirrr n'imporrrte quel garrrçon de Budapest, ou du monde entier ; elle était fantastique à ce point-là. Toi aussi, tu es fantastique à ce point-là.

Tante Eva me serra le genou et se leva pour faire d'autre café.

Eh bien, c'en était là. Me trouver un garçon pour m'exercer, me faire pousser les seins, et Luke serait mien. Je n'en doutais pas une seule seconde. Les tantes l'avaient dit.

Pour une fois, Kit resta en classe pendant toute la durée du cours d'économie familiale de Feenie. Kit était passée maître dans l'art de se pointer à l'appel des présences, puis de s'éclipser durant le chaos qui accompagnait le déplacement des élèves vers les ateliers de couture Singer, dont l'objet était l'initiation au monde de la mode. J'avais fait un napperon, une minijupe et une robe chasuble, qui cependant avaient tous l'air de cache-pots. Par bonheur, le module de couture était maintenant terminé, et nous avions finalement commencé l'atelier de cuisine. Nous feuilletions avec beaucoup d'enthousiasme les joyeuses pages du *Guide alimentaire canadien*. Nous faisions bouillir des choux de Bruxelles et nous faisions preuve de beaucoup d'« audace » avec le Cheez Whiz. Kit ne se donnait pas la peine de se présenter à ces ateliers-là non plus. Mais aujourd'hui, aujourd'hui, nous faisions du gâteau au fromage et au chocolat.

Parole de madame Feenie, les desserts constituaient la seule manière infaillible de conquérir le cœur de votre futur mari. Malgré nos revendications de féministes quasi hystériques, nous étions très attentives. Après tout, quelqu'un avait bien voulu épouser madame Feenie, en dépit de sa ressemblance avec un canard. La pauvre femme n'était que tronc. Et, féministes ou non, toutes les filles du cours voulaient un mari.

Kit et moi faisions partie de la même équipe. Nous avions réussi à convaincre Nancy Stewart et Erica Zambelli de tripler la quantité de carrés de chocolat Baker's prévue dans la recette. La cuisine de la classe d'économie familiale dégageait un arôme paradisiaque qui m'ouvrait tout grand l'estomac. Nous nous tenions les quatre devant le four, à faire les cent pas, à attendre et attendre que la minuterie sonne enfin pour que nous puissions sortir notre création.

Drrring.

J'ouvris rapidement la porte du four et je fus happée par les effluves de ce péché sucré — un gâteau au fromage triple chocolat tout chaud.

— Humez et versez une larme, mesdames !

Je me tournai triomphalement vers Kit, qui releva aussitôt les yeux bien loin vers l'arrière, avant de s'écrouler sur le sol dans un bruit sourd inélégant.

Erica, qui avait un petit pois à la place du cerveau, se mit à crier à tue-tête.

— AAAAaaaaah ! Madame Feenie, madame Feenie ! Aaah ! Venez vite ! Kit est morte ! Elle est morte, madame Feenie !

Toutes les autres filles s'agglutinèrent autour d'elle, à pousser des cris stridents et à gémir. Madame Feenie s'approcha aussi vite que ses petites pattes de canard le lui permettaient.

Je restai sur place, à côté de Kit, complètement déconnectée. C'était comme si je regardais un film dans lequel je ne jouais aucun rôle, à part celui de spectatrice. Ce n'est que lorsque Feenie s'agenouilla et souleva la tête de Kit que j'entrai en scène. Kit gémit un peu et ouvrit presque les yeux.

— Soph ?

— Je vais aller chercher l'infirmière.

Je me précipitai à l'extérieur de la classe à la vitesse d'un missile. C'est en arrivant au rez-de-chaussée que je constatai mon ignorance totale de l'endroit où était située l'infirmerie. Je courus d'un bout à l'autre du couloir, passant devant les bureaux du directeur adjoint, du directeur, des orienteurs, devant les classes 107, 108 et 109, devant le placard du concierge, le secrétariat, la classe 110 et devant le bureau de madame Haver. Je m'arrêtai pour lui faire un signe de main, mais je n'osai pas lui demander où aller. Je passais devant sa porte pour la troisième fois, lorsque j'entendis…

— Ho. Holà, il y a le feu ? Sophie ?

Luke était à côté de moi. Juste à côté de moi. Tout chaud, et dégageant une odeur de biscuit.

— Qu'est-ce qu'il y a, Sophie ?

Il me prit le coude et, lentement, doucement, referma sa main autour de mon bras. Il me touchait le bras. Mon bras brûlait, il était en feu.

— Sophie ?

Soudain, je n'étais plus qu'une loque.

— Sophie, est-ce que ça va ?

— Kit ! m'exclamai-je.

Dieu du ciel, j'avais presque oublié Kit. D'accord, je l'admets, j'avais complètement oublié Kit. Luke regardait mon visage de vil mutant.

— Kit s'est évanouie, haletai-je.

J'étais en proie à l'hyperventilation, maintenant. Pourquoi ne pouvais-je pas me comporter simplement ?

— Où cachez-vous votre infirmière, dans cette école-ci ?

Luke pencha la tête sur le côté. Ses cheveux lui tombèrent sur les yeux. J'aurais pu m'étirer les doigts, lui replacer sa mèche, lui effleurer la tempe...

— Par ici, dit-il en souriant.

Il me tenait encore le bras.

Luke me conduisit à une porte non identifiée à côté du secrétariat.

— Votre infirmière est un secret bien gardé ?

Il me fit un clin d'œil, et je jure que je pus voir le visage de tous nos futurs bébés aux yeux bleus. Nous entrâmes dans l'infirmerie, et, si je puis le préciser, à ce moment-là, il me tenait encore le bras ! Quand je pensais à lui, je ne l'avais même jamais imaginé en train de me tenir le bras. En fait, c'est le genre de choses que l'on ne peut simplement pas imaginer. Qui eût cru que se faire tenir le bras puisse être si… si intense ?

— Madame Beardsley ? dit Luke. Il y a eu un incident, dans…

Luke se tourna vers moi d'un air interrogateur, comme s'il allait me demander en mariage.

— Sophie ?

— Oh, c'est vrai ! Euh, classe 216, économie familiale. Kit s'est évanouie.

L'infirmière se précipita sur-le-champ.

Je la suivis de près.

Pas Luke. Nous n'étions plus liés l'un à l'autre.

C'était comme si quelqu'un avait éteint les lumières.

Je courus derrière madame Beardsley, qui avait plus l'air d'un contremaître que d'une infirmière. Le temps d'arriver au deuxième étage, j'avais suffisamment recouvré mes facultés pour me sentir de nouveau dans tous mes états quant à la situation de Kit. Et si Tutti Frutti Zambelli avait raison ? Et si Kit était tombée raide morte, ou dans le coma, ou… ou… Je ne pouvais penser à autre chose. Maman et moi n'avions jamais été malades de nos vies. J'eus soudainement des crampes d'estomac. Peut-être que Dieu était tellement consterné par mon comportement scandaleux quant à Luke et à mon bras en feu qu'il avait décidé de tuer Kit pour me donner une bonne leçon. On pouvait sentir le gâteau au fromage du bout du couloir. Je fis un petit signe de croix au milieu de ma poitrine, comme ils nous l'avaient enseigné à St. Stephen's.

« Bénissez-moi, mon Père, je sais que j'ai péché et j'en suis vraiment désolée, mais s'il vous plaît, faites qu'elle aille bien, d'accord ? Comme pénitence, je ne mangerai plus jamais de gâteau au fromage. Je le promets. »

Au moment où madame Beardsley entra dans la classe d'économie familiale — avec moi sur ses talons —, elles étaient toutes assises à manger du gâteau au fromage en souriant. Même Kit !

— Qu'est-ce qui s'est passé ? demanda l'infirmière.

— Oh, mon Dieu ! Je suis vraiment désolée d'avoir causé tout cet émoi, s'excusa Kit d'un air penaud.

Oui, oui, penaud.

Madame Feenie marcha comme un canard jusqu'à l'infirmière.

— Nous en sommes venues à la conclusion que cette jeune fille n'avait pas assez mangé ce midi, et comme elle est une athlète vigoureuse et tout...

Madame Feenie avait pincé les lèvres au mot « athlète ».

— Il est bien important de bien se nourrir, jeune fille, dit l'infirmière, mécontente. Que cela vous serve toutes de leçon. Viens avec moi, jeune fille. Je vais devoir t'examiner, puis appeler ta mère.

— Il faudra que ce soit mon père, dit Kit.

En partant, Kit me tendit un énorme morceau de gâteau au fromage et au chocolat.

— Je t'ai gardé celui-ci. On a fait un vachement bon gâteau, ma partenaire.

— Tout de suite ! ordonna l'infirmière.

— À plus tard, murmura Kit.

— À plus tard, répondis-je en faisant un signe de tête.

Je salivais. Oh, ouah, le chocolat exsudait encore de la portion qu'elle m'avait remise. Mais j'avais promis. Mais elle n'avait probablement jamais été réellement en danger, de toute manière. Mais une promesse est une promesse. Mais ce n'est pas comme si c'était une vraie amie, une amie véritable. Pas vraiment ; rien qu'un bouclier, une protection contre les éléments.

— Eh bien, tu ne le manges pas ? se plaignit Erica. Kit a dit qu'elle nous décapiterait, si on ne te laissait pas le plus gros morceau. En fait, tu as pratiquement presque tout le gâteau. Je trouve que c'est injuste, mais Kit a dit…

Elle continua à babiller. Zambelli est un véritable moulin à paroles.

J'aurais voulu en prendre et en avaler, avant que Dieu ou qui que ce soit d'attentif ne le remarque.

Je m'abstins. La cloche sonna. La journée était terminée.

— Je vais l'emporter, marmonnai-je.

J'enveloppai le stupide gâteau dans le papier d'aluminium du cours d'économie familiale et le donnai à Madison lorsque je la rencontrai aux casiers. Madison ne sembla pas trop alarmée par cet incident quasi mortel.

— Crée Kit ! soupira-t-elle.

— Ouais, grommelai-je en me tournant vers mon casier.

Je tergiversais encore au sujet de cette histoire de gâteau au fromage.

Madison inspira si brusquement qu'on aurait cru que quelqu'un venait de lui donner un coup de poing dans le ventre.

— Oh, mon Dieu, Sophie ! Sors ton chandail de tes pantalons !

— Quoi ?

— Sors-le tout de suite.

— Pourquoi ?

Son visage était collé au mien.

— Ça paraît !

Comme si ça expliquait quelque chose.

— Qu'est-ce qui paraît ?

Elle prit une inspiration et dit, les dents serrées : « Ton *amie* est arrivée. »

Je regardai partout dans le couloir avec agitation, le cœur battant la chamade. Est-ce qu'un des monstres de Dufferin s'était présenté ici ?

— Grrr, grogna-t-elle, me saisissant par le bras et me tirant jusqu'aux toilettes.

C'était vraiment la journée pour se faire prendre par le bras.

Madison tira brusquement la porte et cria à la ronde : « Dégagez, les filles ! » Et croyez-moi, elles obéirent.

— Quoi ? Quoi ? Quoi ?

Madison plaça ses mains sur mes épaules.

— Tu viens d'avoir tes règles !

— Non !

Je me précipitai dans la première cabine. Effectivement, du sang. Je pouvais m'imaginer qu'une telle vision puisse sembler un peu alarmante, pour quelqu'un qui n'aurait pas attendu cet événement tous les jours ces deux dernières années.

— Il a réussi ! criai-je.

— Quoi ? demanda Madison.

— Luke ! Il a fait une femme de moi, il...

Avant que je puisse finir ma phrase, Madison ouvrit la porte de ma cabine d'un coup de pied, m'arrachant presque les genoux dans sa manœuvre.

— Quoi ?

— Madison, si ça ne te dérange pas, la place est occupée.

Elle se retourna.

— Aujourd'hui, alors que je cherchais l'infirmière, *il* m'a trouvée.

Je lui racontai mon bras qui brûlait, nos futurs bébés aux yeux bleus, et le bras qui avait brûlé davantage.

— Bon sang, Sophie, tu dois faire plus attention à ta manière de t'exprimer.

— D'accord, désolée, désolée.

C'est fou comme je m'excusais beaucoup, ces derniers temps.

— Alors, euh, qu'est-ce que je fais, maintenant ?

— Remplis ta petite culotte de papier de toilette et sors ton chandail de ton pantalon. Tu devrais être bonne pour te rendre à la maison.

Elle surveillait la porte, tandis que je déroulais des centimètres et des centimètres de papier de toilette.

— Prends-en encore plus, dit Madison. As-tu quelque chose chez toi pour... ?

— Oh, ouais, répondis-je. Nous avons des boîtes et des boîtes de Kotex, et des ceintures dans lesquelles mettre la serviette, et tous les sous-vêtements spéciaux.

Elle grimaça.

— Sophie, tu ne peux pas porter ça.

— Non ?

— Non. C'est pour les ratées. Tu ne peux pas jouer décemment au basket enrubannée comme ça, et pense à toutes les fêtes de piscine auxquelles nous irons en juin. Pas question.

— Mais...

— Viens chez moi. J'ai des tas de tampons. Il te faut débuter correctement.

— Madison, je n'ai absolument aucune idée de la façon...

— C'est facile, dit-elle en haussant les épaules. Bon, c'est assez de papier de toilette pour l'instant. Viens, allons-y.

Nous partîmes donc, bras dessus, bras dessous, nonchalamment, comme deux femmes mûres. Bon, d'accord, je marchais comme un canard, disons. J'eus un élan de sympathie momentané pour madame Feenie. Il devait y avoir un rouleau de papier de toilette au complet dans ma petite culotte. Et si ça n'allait pas tenir en place ? Je devais marcher les cuisses collées l'une contre l'autre, et j'avais des crampes. Mais peu importe, comme je l'ai dit, nous partîmes, deux *femmes*, bras dessus, bras dessous.

Les schémas, en dépit de toutes les flèches ajoutées par Madison, ne furent pas très utiles, dans la pratique. Avant que Madison et moi ne fassions quoi que ce soit, je me rendis directement au pied du céleste escalier[15] pour appeler Fabi.

— Bonjour, Fabiola. C'est moi, Sophie. Comment ça va ?

— Elle n'est pas ici, dit Madison en se rendant à la cuisine. Fabi est partie pour deux jours visiter sa sœur à Hamilton. Mon grand-père rencontre ses amis juges au club, les mercredis, et maman et papa sont au travail. Donc, la voie est libre. Nous n'aurons pas à nous lancer dans des explications compliquées.

Je jetai un coup d'œil nerveux à la bibliothèque, avant de suivre Madison. Je le faisais à chaque visite. Je ne pouvais m'empêcher de penser que le nom de

15. N.d.T. : L'auteure fait allusion au titre de la célèbre chanson *Stairway to Heaven*, composée en 1970 par le groupe rock britannique Led Zeppelin.

papa figurait quelque part dans un ouvrage, dans l'attente d'être découvert par les Chandler.

Madison s'affairait avec la cafetière.

— Qu'est-ce que tu fais ? demandai-je.

— Je nous prépare un pot de café que nous pourrons emporter dans la salle de bain de ma chambre.

— Pourquoi ? Je vais juste me mettre un tampon, et on redescendra tout de suite après.

Madison poussa son soupir à la Feenie.

— Ça pourrait prendre plus d'une minute ou deux.

Nous montâmes avec la cafetière, les tasses et, à titre de provisions, des biscuits aux brisures de chocolat. Nous prîmes trois boîtes neuves différentes de tampons dans l'armoire à linge du deuxième étage. Une fois dans la chambre de Madison, nous ouvrîmes les boîtes. Je m'étonnai de voir que ces choses avaient la forme d'un sous-marin.

— Où diable vont-ils ?

— Chut.

Madison étudiait les diverses illustrations provenant de chaque boîte.

— Merde, grogna-t-elle. C'est comme dans mes souvenirs. Ces schémas sont à n'y rien comprendre.

Elle en étendit un qui représentait une vue de profil en couleur des parties génitales intérieures de la femme. Elle sortit un marqueur Magic et commença à dessiner des flèches.

— Donc, ce que tu dois faire, c'est prendre l'applicateur et l'amener à la position indiquée par la première flèche, ensuite l'insérer et, genre, l'enfoncer jusqu'à la deuxième flèche, puis tu plonges le tampon à l'intérieur. Comprends-tu ?

Si je comprenais ? Comment quelqu'un pourrait-il comprendre ça ? Le faire plonger ? C'était anatomiquement impossible. C'est dans des moments comme ça que j'aurais aimé avoir une vraie religion, pour que ses préceptes m'interdisent de faire ce genre de chose. J'aurais pu tout simplement dire : « Oh, zut, je suis si désolée, je ne peux pas faire plonger des sous-marins, sous peine d'excommunication. » Je parie que les sœurs catholiques ne courent sûrement pas dans toutes les directions en faisant plonger des sous-marins.

— Ouais, je pense que oui, répondis-je.

— Bon, parfait.

Elle prit ma tasse de café et toutes les boîtes de tampons.

— Je dois m'en mettre combien ?

Mon cœur battait la chamade.

— Juste un, imbécile. Sauf que ça pourrait te prendre quelques essais. J'en ai pris des tonnes, avant de réussir.

Des tonnes ? Ça allait de mal en pis. Nous nous rendîmes dans la salle de bain de sa suite, qui était plus grande que le salon chez moi.

— Eh bien, je ne voudrais pas gaspiller tous vos tampons, pour l'amour de Dieu. Je crois que je vais simplement rentrer chez moi et demander à maman de m'acheter…

— Détends-toi, Sophie.

Elle déposa mon café sur le comptoir, me poussa vers le siège de toilette et plaça les tampons sur le plancher à côté de moi.

— Je ne pense pas que trois boîtes de tampons vont entraîner la ruine de la maison Chandler. Je serai de l'autre côté de la porte. Je peux t'entendre parfaitement, même si elle est fermée. Insère la chose, et ne sors pas avant d'avoir réussi.

Elle ferma la porte.

J'observai furieusement le schéma et dégageai mon premier sous-marin. J'essayais de tenir le mode d'emploi, tout en manipulant l'applicateur. Je les échappai tous les deux dans la toilette.

— N'essaie pas de le faire en tenant le stupide schéma ! me cria Madison.

— Non, non !

Je dégageai le deuxième sous-marin.

J'en dégageai trois autres et décidai de faire une pause café.

— Penses-tu que Kit a un rapport plutôt bizarre avec la nourriture, ou je ne sais quoi ? demandai-je.

— Non, pas vraiment.

Je pouvais presque entendre Madison secouer la tête et froncer les sourcils.

— Euh, peut-être, juste un peu. Elle mange énormément, puis plus rien, mais j'imagine qu'au final, ça s'égalise.

— Pourquoi est-elle si — comment dire — préoccupée par… ?

J'en perdis un autre. Je jure qu'il était sorti de travers. Je priai pour qu'au moment venu, je puisse actionner la chasse d'eau sans que ça bloque la toilette et qu'elle déborde.

— Oh, dit Madison. J'oublie tout le temps que tu n'es pas avec nous depuis le début.

— Merci.

— Pourquoi ?

— C'est bien que tu oublies. J'aime ça. Alors, était-elle vraiment grosse, ou quoi ?

— Eh bien, vers la première année du secondaire, quand sa mère est partie pour la première fois, elle est devenue un peu grassouillette.

— Sa mère est partie ? Une vraie mère ? Pas possible !

— Ouais, et pendant environ six mois. Monsieur Cormier a dû s'occuper de tout le monde. Ses grands frères étaient encore à la maison.

Une *mère* avait plié bagage et quitté sa famille ? Une mère ?

— Ouais. Encore maintenant, elle part et revient, de temps en temps. En fait, je pense qu'ils sont toujours plus ou moins séparés, présentement. Inutile de préciser que c'est un secret.

Je dégageai un autre tampon.

— Bien sûr. Je vais rester assise ici et saigner à mort, avant de le dire à qui que ce soit.

— Allons, Sophie, ce n'est pas si pire que ça. Tu dois seulement relaxer. Relaxer complètement. Si tu es tendue, ça n'entrera pas.

Bon Dieu, l'utilisation d'une ceinture et d'une serviette hygiénique devait être plus facile que ça.

— Essaie d'utiliser les Playtex avec applicateur en plastique ; c'est avec ceux-là que j'ai réussi, la première fois.

C'est maintenant qu'elle me le disait.

— Qui, euh, t'a aidée, la première fois ?

— Ma mère.

Je pouvais presque la sentir s'adosser confortablement contre la porte.

— Elle est restée avec moi tout l'avant-midi, elle a appelé à l'université pour dire qu'elle était malade, jusqu'à ce que je réussisse.

J'ouvris mon quatrième sous-marin Playtex. La poubelle se remplissait rapidement. Je ne voyais pas en quoi ce type de tampon était plus facile à utiliser que les autres.

— Tu ne peux pas espérer mieux qu'elle.

— Non, soupira-t-elle. Non, peut-être pas, mais… ça m'arrive, Sophie. Parfois, j'aimerais le savoir, tu comprends ?

— Ouais, dis-je gentiment et d'un ton plutôt neutre puisque je vivais une situation de crise liée à l'insertion du bidule. Ouille, ouille !

— Ça va ?

Je grognai.

— C'est ça, le hic. Parfois, je veux savoir, la rencontrer une fois, pour que cessent toutes les histoires qui me trottent dans la tête, tu comprends ? Elles tournent et tournent en moi comme mes propres petits hamsters qui courent sans cesse dans leurs roues. Voilà ce que ça me fait de m'interroger continuellement.

Elle en faisait une obsession. Je m'y connaissais en la matière, mais je ne pouvais pas le lui dire sans dévoiler mes propres hantises.

— Alors, dis-leur que tu veux la retrouver.

— Pas capable.

— Hein ?

— Je, euh, ne veux pas leur faire de peine.

Son visage se referma. Je ne pouvais la voir, bien sûr, mais je le savais.

— Madison, ce truc ne veut pas entrer assez profondément, peu importe ce que je fais. Ouille, ouille, ouille.

— Sophie ?

— Ouille. Quoi ?

— Peu importe ce que tu fais, assure-toi de ne pas aller trop vers l'arrière, si tu vois ce que je veux dire. Il ne faudrait pas que tu l'insères dans le mauvais, euh, portail d'entrée.

Oh.

Autant l'admettre, j'étais maintenant fâchée. Je n'allais pas laisser un stupide sous-marin avoir le dessus. Je dégageai un autre Playtex, le pris par l'extrémité du mince applicateur, l'enfonçai vers l'avant, et… et…

— Il est entré ! J'ai réussi ! Oh, mon Dieu, Houston, nous avons atterri.

— Youppi !

Elle entrouvrit la porte et me lança une petite culotte et son pantalon de jogging.

— Ouah, criai-je. C'est fantastique ! Je ne sens rien du tout ! Sauf, euh, quelque chose, mais ça se remarque à peine, genre.

J'enfilai ses vêtements et mis les miens dans un sac de plastique.

— Ne t'inquiète pas, quand tu mettras le prochain dans quelques heures, ce sera beaucoup plus facile, et dans quelques jours, tu ne sentiras plus rien du tout.

J'aurais à le refaire ? Dans quelques heures ? Ça veut dire que j'aurais à l'enlever ? Je refusai de penser à tout ça.

J'ouvris tout grand la porte.

— Ma vie est transformée !

— Tu parles !

— Je vais probablement devenir une 36D d'ici la semaine prochaine !

Madison tapait des mains et sautillait partout, comme elle l'avait fait quand elle m'avait dit que nous avions été sélectionnées au sein de la première ligne.

Ouah.

Je n'aurais pas fait ça pour qui que ce soit. Je n'aurais d'ailleurs pas su comment, mais là rien n'allait pouvoir m'arrêter… C'était un geste tellement *gentil*.

— Je vais la trouver pour toi, Madison.

— Quoi ?

— Ta mère. Si jamais tu changes d'idée, je suis là, je veux dire, ici, peu importe ce qu'il faudra faire.

— Sophie, tu n'as même...

— Non, je suis sérieuse. Je suis ton homme, ta femme, ouais, femme ; une véritable femme, désormais.

— Merci, idiote. Voilà, dit-elle en me tendant une boîte de tampons Playtex réguliers. Ça devrait te suffire jusqu'à demain.

Je ne savais pas où j'allais la cacher. Maman était plutôt convaincue qu'il ne fallait même pas jeter un coup d'œil à une boîte de tampons avant d'avoir eu son quatrième enfant. J'aurais à appeler les tantes pour les faire plaider l'argument « athlète de basketball » en mon nom.

Quand je quittai la maison de Madison, je ne le fis pas en sautillant, cette fois-ci. Je marchai avec grâce à grands pas jusqu'à l'arrêt de tramway. Je savais que tout le monde savait, dans le wagon. On me regardait *de cette manière-là*. Je m'assis et me croisai les jambes de façon très féminine — la maturité me sortant de tous les pores. J'étincelais de féminité. Bon, en fait, je me sentais légèrement fiévreuse, j'avais des crampes et j'étais comme gonflée, mais, hé, le monde aurait à s'adapter à la nouvelle « moi ». Sophie Kandinsky, femme. J'avais hâte d'arriver chez moi pour vérifier si mes seins avaient poussé.

— Que veux-tu dire par « il faut les mélanger » ? demanda Kit, l'air offensée. Le magazine ne mentionne nullement que le mannequin porte ces 43 couleurs de rouge à lèvres.

Elle fit circuler le numéro de novembre de la revue *Glamour*, pour que Sarah et Madison puissent y jeter un coup d'œil.

— Juste ici, dit-elle en tapant du doigt sur une page précise. « Jean Shrimpton porte du rouge à lèvres Moonstruck de Yardley. »

— C'est une arnaque, répondis-je.

J'étais maintenant maître de la situation. Les Blondes ne vivaient que pour le maquillage, et j'avais étalé dans la salle de jeu chez Kit tous les échantillons et produits de démonstration Mary Kay de maman. La boîte de rouges à lèvres contenait à elle seule environ 36 tubes miniatures, sans compter les petits cubes d'ombre à paupières, les fards à joues et les flacons de fond de teint. Elles étaient au paradis du maquillage, et c'était *mon* paradis.

— T'est-il déjà arrivé d'acheter un rouge à lèvres parce qu'il convenait très bien à Jean Shrimpton, pour ensuite te rendre compte, après l'avoir essayé, qu'il était d'une couleur tout à fait différente ?

— Ouais, tout le temps ! lança Sarah, qui prit immédiatement la balle au bond. Vous connaissez Susan Dey, de l'émission *The Partridge Family* ?

Kit leva les yeux au ciel et grogna.

— Eh bien, j'ai acheté tous les fards qu'elle porte, selon le magazine *Tigerbeat*, mais je ne parviens jamais à lui ressembler !

— La ferme, Kit, ordonna Madison avant même que Kit ne puisse ouvrir la bouche.

— Vous voyez ? renchéris-je en tapotant les petits rouges à lèvres. Maman dit que les meilleurs *artistes* du maquillage doivent tous faire des mélanges en fonction de la lumière et des caméras.

— Elle le sait mieux que nous, approuva Madison. Saviez-vous que madame Kandinsky a été la doublure de Sophia Loren dans un film tourné à Paris ?

— Noooon !

— Ouais, à Paris. Désolée, Sophie, s'excusa Madison. Je sais que tu voulais que ça demeure un secret.

— Pas de problème, dis-je en essayant d'avoir l'air résignée.

J'avais raconté ce petit mensonge à Madison il y a quelques semaines, et je croyais vraiment qu'elle s'échapperait plus rapidement que ça. Et ce n'était même pas un mensonge ; du moins, pas complètement. Maman avait *effectivement* servi de doublure dans un film, mais pour une actrice nommée Anna Magnani, et c'était à Zagreb, non à Paris. Puisque je n'avais entendu parler ni de l'une ni de l'autre, j'avais supposé que Madison non plus, alors j'avais juste adapté les détails un peu, pour que ce soit plus compréhensible.

— Ouais, fit Kit en hochant la tête à contrecœur. Je peux m'imaginer Sophia Loren et ta mère. D'accord, Soph, tu l'emportes pour celle-là. Je dois aller aux toilettes.

Elle me donna une tape sur la tête.

— Tu as passé l'après-midi à aller faire pipi, se plaignit Sarah. Et, mesdemoiselles, nous devons partir dans… exactement 17 minutes, pour être juste assez en retard, précisa-t-elle en regardant sa montre.

Arriver juste assez en retard était une des nombreuses règles du manuel sur l'art d'être Blonde. Arriver juste assez en retard à la fête où nous allions, cela signifiait deux heures en retard, car c'était une soirée « sans parents à la maison » qui avait commencé en fin d'après-midi. Un retard de deux heures et demie aurait été d'une impolitesse inexcusable.

— Commence par finir mon maquillage, dit Sarah en offrant son visage.

— D'accord, comment ?

— Hé, comment les filles se maquillaient-elles, pour les soirées de fête, à tes anciennes écoles ? demanda Kit, qui revenait en trottinant de la salle de bain.

Bon. D'accord. Que faire ? Que faire ? Je devais prendre le risque. Je n'en savais tout simplement pas assez pour faire semblant.

— C'est que..., eh bien, c'est ça, vous savez. Je, euh, ne suis jamais vraiment allée à une fête de style *fête*.

On aurait cru que je venais d'accoucher sur la moquette à poil long. Elles ouvrirent toutes la bouche exactement au même moment. Est-ce que les Blondes se rassemblent devant un miroir pour s'exercer à ce truc ?

— Je veux dire, à une fête mixte, genre, sans les parents. Je suis allée à plein d'autres fêtes où il n'y avait que des filles, avec des adultes, où l'on passait la nuit, bon, Dieu sait ! Il y a eu aussi la fête de la sainte communion de Tony Donatello, en deuxième année, au restaurant de son père..., précisai-je, tandis qu'elles demeuraient toujours bouche bée. Mais je sais que ça ne compte pas. Écoutez, il y a des raisons : six écoles, dont quatre dans les trois dernières années, et...

— Ouah, lâcha finalement Kit. Tu n'arrêtes jamais de me surprendre. D'accord, Madison, opération limitation des dégâts.

— Parfait, donc, commença Madison. Est-ce que d'autres personnes sont au courant ?

On aurait dit qu'elle tenait un bloc-notes.

Je fis signe que non.

— Parfait ! Motus et bouche cousue, lança Kit. Pour une fois, retiens-toi, avec ton truc d'honnêteté compulsive.

Honnêteté compulsive ?

— Bon, voyons voir, dit Sarah en sautant sur ses pieds. Nous n'aurons qu'à arriver inexcusablement en retard.

Elles hochèrent la tête dans un signe d'approbation.

Kit me prit par les épaules.

— C'est une fête des élèves de dernière année. Quelques élèves de troisième seulement seront de la partie. Les enjeux sont beaucoup plus importants ; les règles, encore plus cruciales.

Sarah me prit par le bras.

— Tu connais le code de conduite pour les slows, n'est-ce pas ?

Tant qu'à avoir avoué pour les fêtes, il n'y avait pas de raison de commencer à masquer la vérité.

— Euh, pas vraiment.

Madison se leva et tira Kit auprès d'elle.

— D'accord, cours intensif, sois attentive, dit-elle en me regardant. Donc, un garçon — pas ton copain, ni ton ex comme Kit et Rick —, juste un garçon, d'accord ?

Je fis signe que oui.

— Bon, première danse, tu me suis ? Tes mains sur ses épaules, dit-elle en mettant les mains de Kit sur ses épaules. Les siennes à ta taille. C'est la première étape.

Si tu l'aimes, tu peux passer à la deuxième étape et mettre ta tête sur son épaule.

Kit s'appuya la tête sur l'épaule de Madison. Elles formaient un adorable couple.

— Tu peux le faire à la quatrième ligne de la chanson, pas avant !

— La quatrième ligne, répétai-je.

— Puis, à la troisième étape, il peut t'entourer la taille une fois le refrain en cours, mais pas avant ; c'est crucial.

— Je vais devoir prendre des notes, grognai-je.

— Écoute bien, Sophie !

Kit laissa ses mains descendre vers les fesses de Madison.

— Si ses mains descendent, tu dois les prendre et les remettre à ta taille, ou s'il commence à les mettre autour de ta taille avant le refrain, tu *dois* les replacer. Sinon, tu t'annonces comme une fille facile.

Kit et Madison se lâchèrent.

— Souviens-toi seulement du stupide refrain, dit Kit. Le refrain est véritablement la clé. Je suis sûre que toutes les écoles en ville ont des règles sur les refrains.

Pourtant, je n'arrivais pas à m'imaginer les filles aux cheveux pleins de fixatif de St. Teresa prendre le temps de planifier quelque chose d'aussi élaboré.

— Le refrain, je comprends, mentis-je. Merci. Mais si on est complètement folle de lui ?

— Laisse-moi faire, laisse-moi faire, dit Sarah en se lançant sur Madison.

— Donc, le refrain est tout juste terminé. Tu peux, si tu veux, laisser ses mains descendre un peu.

Les mains de Madison descendirent un peu.

— Mais quand même pas jusqu'aux fesses.

Elles secouèrent toutes la tête.

— Prête pour la dernière étape, la quatrième, soit les trois dernières lignes de la chanson ?

Je hochai la tête. Seigneur, c'était pire que des mathématiques.

— Tu t'arques le dos, genre, puis tu avances la poitrine vers la sienne. Ça lui envoie le message qu'il peut te serrer contre lui pendant la dernière ligne de la chanson et effleurer l'une de tes fesses avec sa main. Tu comprends ?

Si je comprenais ? Avancer ma poitrine ? Je ne pouvais m'empêcher de remarquer que nous regardions toutes dans cette direction.

— Facile à dire pour toi, dis-je. Mais j'ai bon espoir. Maintenant que j'ai mes règles, mes seins ne devraient pas tarder.

— Absolument ! acquiesça Sarah. C'est ça, l'idée.

Sarah en avait de gros. En fait, Sarah avait les plus gros. Madison était proportionnelle et tout, et même Kit, qui n'avait que la peau et les os, en avait, elle aussi. Je portais le soutien-gorge en dentelle rembourré que les tantes m'avaient acheté la semaine d'avant. Les bonnets étaient trop gros d'au moins 12 tailles. L'un deux renfonçait visiblement.

— Euh, tu devrais peut-être surveiller ton nichon gauche, remarqua Kit. Je te dirais bien de remplir tes bonnets, mais tu pourrais ne pas avoir le temps de cacher la preuve avant de te faire tripoter.

— Tripoter ! Quoi ? Une minute ! Vous avez des règles sur les filles faciles au refrain, et je suis censée me faire tripoter ? !

— Seigneuuur, grogna Kit. Ne me dis pas qu'on ne t'a jamais tripotée ?

— Bravo, sans blague, Einstein, dit Madison. Elle n'est jamais allée à une fête et n'a jamais dansé de slow ; quand t'imagines-tu qu'on l'aurait tripotée ?

— On doit y aller, laissa tomber Sarah en s'appliquant une dernière couche de rouge à lèvres.

Son geste entraîna une réaction en cascade. Un peu de fard et un peu de gel par-ci, un petit coup de vaporisateur et un petit coup de peigne par-là.

— Les filles, commenta Madison en nous examinant. Je pense que nous avons l'air tout à fait *fabuloso* !

En effet, elles l'étaient — non, *nous* étions fabuleuses. Elles voulaient un look de surfeuses, c'est ce que je leur avais donné. Les Blondes miroitaient comme la mer et le soleil californiens. J'étais moi-même plutôt miroitante.

La maison d'Anita Shepard, lieu mieux connu sous le nom de « manoir des mamours », n'était qu'à un coin de rue de chez Kit.

— Pour en revenir au tripotage, les filles, je ne vois pas…

Madison me prit par le bras doucement, mais quand même assez fermement.

— Ma chère Sophie, tu es *un peu* en retard.

— Vraiment ! s'exclama Kit en levant les yeux au ciel. Tout ça reste entre nous. Mais nous avons une réputation à maintenir, il ne faut pas que ça se sache…

— À part ça, soupira Sarah, ne veux-tu pas savoir si tous tes morceaux fonctionnent correctement ?

— Quoi ? !

J'avais peut-être crié cette réponse. Je me souvins de la sensation de la main de Luke sur mon bras.

— Mes morceaux fonctionnent bien !

Quoique… peut-être juste pour mon bras.

— Vous savez toutes l'effet de Luke sur moi.

— Tu ne peux pas attendre Luke, dit Kit. Cette garce d'Alison a mis le grappin dessus. Ça va prendre des années… Sophie, tu es au secondaire, et on ne t'a encore jamais tripotée !

Les tantes surgirent dans mon esprit.

— J'ai besoin d'un garçon avec qui m'exercer !

Kit me donna une claque dans le dos.

— Là, tu parles !

— Comme ça, ce sera fait !

— Oh, soupira Sarah. Tu vas en mourir, c'est tellement bon !

Elle prit un air absent.

— Je veux dire, c'est tellement incroyablement…

— Du calme, Sarah, dit Madison.

— D'accord, ce sera ça !

Est-ce que je criais encore ?

— Je vais me faire tripoter par le premier garçon qui m'invitera à danser.

— Stratégie parfaite ! s'exclama Sarah. Et toi, Kit, quel est ton plan ?

— Je vais reconquérir Rick.

Madison grogna.

— Kit, tu as plaqué ce pauvre gars une fois de trop. Il ne voudra pas reprendre une fois de plus avec toi.

— À ce moment-là, j'étais jeune et immature, dit-elle en reniflant. Maintenant, je sais ce que je veux, et je veux Rick, alors j'aurai Rick.

Il n'y avait aucun doute dans mon esprit. Sarah et, assurément, Madison étaient plus jolies, mais Kit dégageait une énergie nucléaire.

— Et toi, Madison ? demandai-je.

— À moins que Dave Johnson ait rompu avec Rachel, je pleure encore officiellement la perte de Steve, qui est parti étudier à l'université. C'est compris ?

— Compris, répondîmes-nous en chœur.

Encore une fois, je n'avais absolument aucune idée de ce dont elles parlaient. C'était l'un des effets secondaires d'un parachutage dans un groupe auréolé d'une longue histoire. On ne compte plus les fois où on ne peut que dire « Hein ? ».

— Bon, mesdames.

Madison nous fit prendre une pause devant chez Anita.

— Souvenons-nous de qui nous sommes.

Elle décocha un regard à Sarah.

— Toi, comporte-toi bien. Nous ne sommes pas au camp. Nous avons nos réputations, il faut supposer que l'école entière nous observe. Sophie, dit-elle alors que nous arrivions à la porte, rappelle-toi : haute et basse un coup, mais pas sous la tombante, compris ?

La porte s'ouvrit.

— Hein ?

— D'accord, les filles, dit Kit, rentrez le ventre, sortez la poitrine, et bonne chasse !

Elle ouvrit encore plus grand la porte.

— Ma chère Sophie, bienvenue au manoir des mamours, ajouta-t-elle avant de disparaître à l'intérieur.

Comme il y faisait plutôt sombre, je la perdis immédiatement de vue, mais je pouvais l'entendre crier : « Rick, mon chou, je t'ai manqué, bébé ? » Le garçon n'avait aucune chance.

Madison et Sarah se frayèrent un passage dans la foule et se rendirent à l'arrière de la maison, à un endroit qui avait l'air d'un vrai bar, avec des tabourets, un miroir sur le mur en arrière-plan, des verres à l'envers qui pendaient, et tout et tout. Mon cœur battait au rythme de *Kung Fu Fighting*, mais mon corps refusait de bouger. « D'accord, vas-y ; ce soir, c'est le grand soir. »

Je pourrais y arriver.

Oui, monsieur.

Bon, d'accord, pas par moi-même ; quelqu'un devrait d'abord m'inviter à danser. J'avais besoin de mon garçon pour m'exercer. Et si mon sein renfonçait encore ? J'avais l'impression qu'il s'était effectivement renfoncé, mais il faisait trop noir pour que je puisse voir. Tout autour de moi et même dans les autres pièces, des couples dansaient, parlaient, riaient, se tripotaient, gémissaient.

Seigneur.

D'accord, je devais au moins entrer dans la pièce, peut-être. Ou faire mine d'y entrer, ou...

— Hé, Sophie !

Une voix parmi les corps.

— Ouah, Sophie, tu es séduisante !

Mon prince était venu. *Merci, merci.* Je fouillai la pièce des yeux, pour tenter de repérer mon sauveur.

— Tu veux danser, miss Pétard ?

« Ça y est. J'y vais. » Je pointai ma poitrine vers l'avant.

— Bien sûr, répondis-je.

« Me voici. »

— Ooooh, ouais, vraiment séduisante.

C'est à ce moment-là que je le vis.

Non, non, non !

Ferguson Engelhardt. Je venais d'accepter de danser, et donc pratiquement de perdre ma virginité, avec Ferguson Gordon Engelhardt ! Ferguson se faufila parmi les corps sur le plancher. On aurait dit que son pantalon psychédélique à pattes d'éléphant allait éclater.

— Salut, Ferguson.

Mais qu'est-ce qu'il faisait là ? C'était censé être une soirée pour les plus cool des cool. Puis, je me souvins que Sarah m'avait raconté que son grand frère sortait avec notre estimée hôtesse. Bon, hé, je pourrais y arriver.

Ferguson tituba jusqu'à moi et me souffla son haleine en plein visage.

Non, je ne pourrais pas. Je me dégonflais comme un vulgaire ballon.

Juste comme je reculais vers la porte, j'aperçus Luke appuyé contre le mur d'en face. Il me salua d'un clin d'œil. Mon cœur s'arrêta. Puis, il allongea son magnifique bras parfait de receveur éloigné pour entourer les épaules toutes prêtes d'Alison Hoover. Sans même se rendre compte de ce qu'elle faisait, Alison se retourna et lui embrassa nonchalamment le dessus de la main.

Ma tête explosa.

— Bien sûr, Ferguson, j'adorerais danser.

— Ferg, dit-il.

Ce garçon lévitait. Il leva les pouces en l'air en direction de Tim et Dave, deux garçons de dernière, en me traînant dans la fosse aux lions. Ils lui rendirent son signe.

— Ferg, répéta-t-il.

— Hein ?

— Pas Ferguson, « Ferg ». « Ferg » fait plus cool, tu ne trouves pas ?

Que faut-il avaler, pour trouver « Ferg » plus cool que tout ?

— Ferg ? dis-je.

— Ouais, c'est plus cool, non ?

Il m'aspira vers lui comme une ventouse.

— Pas mal plus, répondis-je.

Avec ma malchance habituelle, c'était un slow qui jouait, *Killing Me Softly with His Song*, de Roberta Flack. Il faisait encore plus noir dans la fosse aux lions que dans le salon. Je priai pour que mes yeux ne s'habituent pas. Je n'avais encore jamais dansé de slow. Je n'étais pas experte, mais je sentais que la situation était sérieusement stupide. En partie parce que Ferg s'apprêtait à une fusion totale des corps, qui aurait été plus efficace si je ne l'avais pas dépassé d'une tête.

Qu'est-ce que j'étais censée faire de *ma* tête ?

Bon, il est vrai que j'avais une belle vue dégagée sur la pièce.

Tout de même, je ne pouvais pas sans cesse regarder fixement devant moi ; j'aurais eu l'air d'attendre l'arrivée de mon bateau. Mais j'aurais eu l'air encore plus stupide si j'avais déposé ma tête sur le *dessus* de la sienne. En fait, ça aurait été physiquement impossible, puisqu'il avait appuyé *sa* tête sur mon épaule, expulsant son souffle chaud et humide vers, euh, ma poitrine.

Je plaçai mes mains sur les petites épaules chétives de Ferg. La chanson allait-elle finir par finir ? Je planifiai ma fuite. Après tout, aucune loi des Blondes ne stipulait qu'il *fallait* avoir été tripotée avant l'âge de 15 ans. Il devait exister des milliers de filles comme moi, vraiment, potentiellement, presque populaires, par exemple à Kuala Lumpur ou quelque part ailleurs.

Je vérifiai dans la pièce. Est-ce que quelqu'un nous observait ? Est-ce que quelqu'un riait ? Je pus distinguer Kit dans un recoin avec Rick. Tout occupée à l'embrasser et à le caresser. Nous étions environ une demi-douzaine à danser au son de la musique, dont Sarah, qui discutait avec un garçon qui lui caressait tranquillement le dos de ses deux mains de haut en bas comme s'il repassait sa robe. Était-ce correct ? En étions-nous rendus au refrain ?

Pendant ce temps-là, les mains de Ferg glissaient de plus en plus bas dans mon dos. Il se rendait à mes fesses chaque fois que Roberta Flack poussait un « *whaa, oh, oh, oh, oh, oh, oh, oh, ohaa* », soit pratiquement tout le temps.

— Tu es tellement chaude, Sophie.

Non, mais… évidemment ! Il n'y avait pas d'air entre nous deux, et il m'engluait.

— Tu me rends fou. Même en classe, tu me rends fou. Tu me rends fou dans les couloirs, tu me rends fou dans les escaliers aussi, mais là tu me rends vraiment fou.

Ce n'était pas du Shakespeare.

— Fou, brûlant.

Là, sa voix devenait un peu bizarre.

Ferg leva les yeux vers moi.

— Veux-tu, genre, prendre une petite pause ?

Oh, mon Dieu, oui, n'importe quoi ferait mieux l'affaire.

— Parfait ! gazouillai-je.

— Tu veux boire ? Un peu de hasch ? Il y a du bon stock qui circule. J'ai de l'herbe.

Il joignit les lèvres et inspira.

— Choisis ton poison, bébé !

Il me fit plusieurs clins d'œil. Les gens comme Ferguson Engelhardt ne devraient jamais cligner de l'œil.

Du bon hasch ?

— J'aimerais avoir un Sprite, s'il te plaît.

Il m'observa attentivement. Je me sentis encore engluée.

— Euh, ouais, je constate que t'es déjà assez chaude.

En fait, je commençais tout juste à me rafraîchir, mais bon.

— Trouve-nous un coin, ajouta-t-il en faisant un autre clin d'œil.

Décidément, c'était peut-être un tic, ou quelque chose comme ça.

Je cherchai un endroit, de préférence sous une lampe. Non, on pourrait me voir. Mais au fond, n'était-ce pas ça, l'idée ? Non, parce que je n'arriverais pas à me laisser aller. Puis, je vis encore une fois le groupe de Luke dans le salon, auquel s'était jointe

Madison, cette graine de diable qui en ce moment n'était aucunement mon amie. Elle riait de ce que disait Alison 36C Hoover. Celle-ci, qui était très occupée à laisser déborder ses formes de son haut couleur pêche à dos nu, riait aussi, tout en parvenant à s'enlacer autour de Luke comme un boa constrictor. « Bon, Sophie, tu voulais un garçon pour t'exercer, tu en as un. » Je *pourrais* le faire.

Kit apparut de *l'arrière* d'une causeuse.

— Fermez les maudites lumières, quelqu'un !

La seule lampe de table s'éteignit.

D'accord, cette question était donc résolue. J'étais dans l'obscurité. Du moins, la demi-obscurité — il était seulement 19 h 30 —, mais j'avais peur de bouger. Il y avait des corps partout. Soudainement, la main osseuse de Ferguson était de retour sur mon arrière-train.

— Ferguson ! sifflai-je.

— Ferg, me rappela-t-il.

— Par ici.

Il grognait, je le jure. Un instant, nous marchions sur les gens — quel est de toute manière le protocole à suivre, dans ce genre de situation ? —, et l'instant d'après, j'étais sur le plancher à me faire faire des ecchymoses sur les lèvres par monsieur Ferg-fait-plus-cool. Je pouvais *entendre* ses dents sur les miennes, bon sang ! Ça ne pouvait pas être normal. Non ? Était-ce censé être aussi inconfortable ?

Était-il en train de me lécher ?

— Rallumez !

C'était Kit. Merci, mon Dieu, Kit à la rescousse. Les lumières de la pièce s'allumèrent. Tous clignèrent des yeux comme des hiboux.

— Mais qu'est-ce qui… ? commença Ferguson.

— *Tadam !*

Kit pointa derrière le sofa, et Rick se leva sans son chandail.

— Oh, ouah ! Bravo, Rick ! grogna Ferguson.

Rick ne pouvait s'empêcher de sourire en admirant son propre ventre.

— Un travail d'amoureuse, les gars. Lisez, et versez une larme.

Clair comme le jour, le nom de Kit était écrit en gros, sous forme de suçons pratiqués sur tout le ventre de Rick Metcalfe. J'étais stupéfaite. Comment… ?

Kit fit une petite révérence.

— Bon, éteignez les lumières !

Quoi, encore ? Ce serait quoi, ensuite ? Elle tatouerait son numéro de téléphone ?

— Ça t'inspire, bébé ? grogna Ferguson en me tirant vers le tapis.

— Eh bien, en fait…

Il était de nouveau sur moi. Ferg ne cessait d'essayer de mettre sa langue dans ma bouche, mais je me souvenais de l'avertissement des tantes selon lequel ce serait une étape extrêmement compliquée pour le garçon avec lequel j'aurais à m'exercer. Je serrai tellement les dents qu'il aurait fallu un marteau perforateur pour les séparer. Il poussa encore plus fort. Ne devais-je pas sentir quelque chose, à présent ? N'importe quoi ? Je devais être une de ces « garces frigides » des romans policiers. Alors que je pensais avoir atteint le fond du baril, la situation empira.

La ventouse humaine se mit à parcourir le... eh bien, le haut de mon corps.

— Oh, bébé, bébé...

Sa voix me faisait maintenant peur. Elle était toute brisée, râpeuse. À quoi tout cela rimait-il ? J'en avais la tête qui tournait. Des rires, des murmures et des petits cris aigus fusaient en stéréo autour de nous. Peut-être étais-je étourdie par mon nouvel éveil sexuel. Non, je me sentais plutôt malade. Même en essayant de ne pas respirer, j'étais étouffée par son odeur, un mélange de bâtonnets de fromage, de *Rhum and Coke* et, euh, comment dire, de l'essence de Ferg.

Pendant que j'étouffais, Ferg me tripotait. Puis, sans avertissement, il commença à me pétrir les seins. D'accord, il manipulait surtout le soutien-gorge, mais de temps en temps, il touchait au vrai morceau. On aurait cru qu'il préparait du pain. Comment ce manège était-il censé être agréable ? Sarah en parlait comme d'une chose fantastique. Peut-être avais-je les seins trop petits. C'était ça. Il faut probablement avoir des seins de taille normale, pour apprécier un bon pétrissage.

J'ai lu *tous* les magazines. Je n'avais pas besoin des Blondes pour me dire ce que je devais ressentir. Je savais *exactement* ce que j'aurais dû sentir, et ce n'est *pas* ce que je ressentais. Dans un numéro de la revue *True Confessions*, il est écrit que si un garçon effleure

« accidentellement » les seins d'une fille — même si elle porte une camisole, un soutien-gorge, un chandail, un tricot, un habit de neige en duvet et un gilet pare-balles —, elle ramollit de désir. Quant à moi, j'étais juste molle.

J'étais molle et agacée. Y a-t-il une limite de temps, pour ce genre de choses ? Juste à ce moment-là, Ferg changea sa technique radicalement. *Maintenant*, il faisait bouger sa paume sur ma poitrine dans un mouvement circulaire, en rond et en rond, comme si j'étais une table tournante. Dans un même temps, sa main gauche tâtonnait maladroitement le bouton de mon chemisier.

Rien ne s'allumait en moi. Rien de rien. Seigneur Jésus, j'étais peut-être lesbienne ! C'était une possibilité. Mes « morceaux » étaient peut-être déréglés, après tout. Je fis apparaître en pensée des images torrides de filles avec d'autres filles, tout en repoussant sa main gauche. Rien. Des filles en bikini, enlacées, qui s'embrassent. Nada, *zilch*. Condamnée ! Dieu du ciel, j'étais une lesbienne frigide. Il n'y avait pas d'espoir pour moi. J'étais complètement défectueuse. C'était fini ! Tout le monde le saurait. Je ne pourrais cacher un genre de problème comme la frigidité. Surtout pas en plus de tout le reste.

Comme j'essayais de me libérer les deux mains pour détourner la main gauche baladeuse de Ferg qui essayait maintenant de se faufiler sous mon chemisier, un ver mouillé se glissa dans mon oreille.

Je criai et me redressai d'un coup.

Ferg roula lourdement par terre, avant de commencer à se bercer en position fœtale, marmonnant des bribes de mots dans une langue inconnue.

— Aïe, aïe, aïe, l'coupd'g'noudincouillesc'était-pourquoi ?

Je pouvais à peine le comprendre.

— Coup de genou ? lui chuchotai-je. Non, c'était un ver..., un ver qui voulait pénétrer dans mon oreille.

Les gens autour de nous riaient, maintenant. Ferg réussit à se mettre sur les genoux.

— C'était ma langue !

Beurk.

Ferg tenta de se redresser tant bien que mal, puis, tout recroquevillé, il boitilla jusqu'à la salle de bain.

— Aïe, merde, aïe.

Les lumières se rallumèrent.

Je sentis que tous avaient les yeux sur moi.

— Retiré sur élan, hein, Ferguson ? lui cria Kit, debout au-dessus de moi. Allez.

Elle me tendit la main pour m'aider à me relever.

— Ça va ?

Qu'allait être la suite, maintenant ?

J'avais estropié le garçon avec qui je devais m'exercer.

Et il y avait toute cette histoire de frigidité.

Je serais la risée. On rirait de moi. Quel gâchis !

— Sophie, est-ce que cette merde de furet a essayé de... ?

— Ouais, acquiesçai-je d'un signe de tête en essayant désespérément de me rappeler l'ordre des séquences de tripotage.

— Cet abruti d'empoté a vraiment essayé sous la tombante, puis une basse/haute *et* une tombante ! ?

— Ouais, fis-je en hochant la tête. Comme tu dis.

— Après une seule foutue danse ?

— Ouais ! grognai-je, tandis que montaient en moi des vagues d'indignation justifiée. Peux-tu croire ça ?

En apprenant que quelqu'un avait vraiment essayé de faire ce que j'avais bien pu dire que Ferguson avait essayé de faire, Kit était devenue apoplectique.

— Tu as bien fait, Soph. Il se pense tellement bon, mais ça ne lui rapportera rien ce soir. Ta réputation est sauve, du véritable or pur.

Avais-je bien entendu ces mots ? Prononcés par quelqu'un qui venait tout juste d'épeler son nom de baptême en faisant des suçons sur le ventre d'un gars ? Il *devait* sûrement y avoir un mode d'emploi quelque part pour m'aider à comprendre.

— Ouais, mais j'en ai assez pour ce soir, tu sais. Maintenant, je vais y aller.

— Bien sûr, dit-elle en hochant la tête. Partons.

Aussi simplement que ça. Elle allait partir. À cause de moi ? Kit Cormier s'en faisait pour moi, allez battre ça ! Je jetai un coup d'œil à Rick, qui arborait maintenant un point d'exclamation à la fin du nom de Kit.

— Non, dis-je en secouant la tête. Je vais bien. Ce n'est pas comme s'il l'avait fait, après tout. Ça va.

Elle fronça les sourcils et se mit à chercher son sac à main.

— Vraiment, Kit. Merci, mais je vais bien. Je te raconterai tout plus tard. Retourne à ce que, euh…

Je lui fis un câlin, qu'elle me rendit.

Pendant que Kit allait retrouver son Rick, je me dirigeai prudemment vers l'entrée.

— Sophie ?

C'était Luke. Luke, Luke, Luke, Luke.

Il me toucha. Il mit sa main sur le bas de mon dos. Une douce brûlure se propagea lentement à l'intérieur de moi, dans mon dos, jusqu'aux épaules… Haute, basse, tombante… Il se pencha vers moi. Je respirai son odeur — je le jure, il sentait le bon pain chaud et le savon Ivory. Je m'appuyai sur sa main, sur lui.

Juste un peu.

— Bon, ne va pas me sortir de déclarations sur la libération de la femme, Sophie, mais il faut que je te dise que je me faisais, genre, du mauvais sang pour toi, à vous voir…

Je frissonnai.

— En tout cas, tu es de toute évidence une fille qui sait se défendre.

Il me fit un sourire en coin, révélant ainsi une magnifique fossette. Je ne l'avais jamais vue. Une fossette secrète. Pour le restant de mes jours, je ne souhaitais plus rien d'autre que de tracer de mon doigt le contour de sa bouche encore et encore.

— En tout cas, *lui*, tu l'as remis à sa place.

Je pouvais à peine l'entendre, tant mon dos vibrait bruyamment.

— Tu pars ?

Il me prit la main.

J'avais la bouche sèche.

Ah ! Les mains de Luke, ces grosses mains rugueuses de receveur éloigné si plaisantes à regarder lorsqu'il me rapportait avec attention sa tasse à café vide les samedis. Il me touchait à peine, et pourtant, pourtant...

Je dois avoir fait signe que oui. Je n'aurais rien pu dire, puisque j'avais la langue clouée au palais.

— Je t'attraperai une autre fois, alors.

Je ne sais trop comment, mais je passai la porte, me rendis au trottoir, montai dans le tramway, arrivai à l'appartement, croisai maman et me laisser tomber dans mon lit. Avec en prime, pendant tout ce temps, le cœur qui me débattait à la vitesse d'un stroboscope.

Au diable, Ferguson Engelhardt. Mes « morceaux » fonctionnaient très bien.

Ce furent les trois plus beaux jours de ma vie. Les *plus beaux*. Rien de spécial ne s'était pourtant produit. Personne ne m'avait couronnée reine de l'univers ou quoi que ce soit, mais c'est la semaine que je vais me passer et repasser dans la tête lorsque je serai devenue une vieille chipie de 70 ans.

Je faisais partie d'un groupe.

J'avais trouvé avec qui me tenir.

Je n'avais qu'à faire le compte. Il y avait Madison, qui m'offrait café et tampons ; Sarah, qui me gardait toujours une place dans le cours de biologie ; et il y avait Kit, prête à frapper Ferguson et à laisser tomber Rick, sa conquête, pour veiller sur moi. Les demi-finales de basketball féminin devant avoir lieu durant la première semaine de décembre, nous passions tout notre temps libre à nous exercer. Elles et moi sur le terrain, nous étions quatre à penser comme une seule et même personne, mais à jouer comme dix. C'est ce qu'Allezy nous répétait sans cesse, et c'était vrai. *Et*, par-dessus tout, c'était clair comme de l'eau de roche que Lucas Pearson ne pouvait se passer de moi.

Les Blondes n'étaient peut-être pas que mes protectrices. Je pourrais peut-être même leur raconter certaines choses. Un jour.

Puis arriva mercredi soir.

Le téléphone sonna.

Cette fois-ci, on en avait parlé d'avance. Il sonna encore. Maman sursauta, comme si la deuxième sonnerie l'avait surprise.

— Maman, ne réponds pas. Tu as promis… Juste cette fois-ci. Juste une fois.

Il sonna encore et encore, d'une sonnerie de plus en plus furieuse et insistante.

— Sophia…, il…

— Maman, non.

La douleur et la confusion se lisaient tour à tour sur son visage. Le remède était-il pire que le mal ? Est-ce que j'empirais les choses ? Je voulais juste qu'elle prenne une pause. Qu'elle ne remplisse pas la baignoire. Qu'elle ne pleure pas le visage enfoui dans les linges à vaisselle. Qu'elle ne me regarde pas comme si je n'étais pas là. Voilà ce que je voulais. Il sonna sept fois, puis une huitième.

Je pensais à papa à l'autre bout de la ligne, qui devait être perplexe en constatant que nous ne répondions pas. Il devait être dans le long couloir où se trouvait l'unique téléphone. J'avais vu l'appareil une fois, la dernière fois où j'étais allée visiter papa. J'avais 12 ans. J'avais peur. Il n'y avait aucune raison, pourtant. Nous ne savions pas que l'oncle de Claire nous avait repérées. Ce n'était donc pas ça. Après toutes ces années de visites, ces hommes non rasés dans leurs uniformes sales me faisaient soudainement peur.

Papa n'était pas rasé.

Tout de même, la visite avait été agréable. Je venais de changer d'école pour la troisième fois, et papa me donnait plein de conseils.

— Assure-toi d'avoir un très bon jeu de jambes.

Il faisait les cent pas. Était-il fâché ? Non, papa n'était jamais fâché, pas même lorsqu'il était soûl, mais...

— Reste aux aguets, Sophia. Tu dois avoir de l'information sur chaque personne qui t'entoure. Sois toujours prête à attaquer avant de te faire attaquer. Ça, princesse, c'est le grand jeu de la vie.

Tous les hommes faisaient les cent pas. Ils donnaient l'impression de marcher sur le fil du rasoir, même papa. Ou n'était-ce là que mon imagination ? Ça faisait un certain temps, et j'ai tendance à enjoliver les souvenirs. Je ne pouvais donc pas me fier entièrement à mon image mentale de la prison, ou du couloir, ou de papa qui s'accrochait au téléphone à l'autre bout de la ligne, à attendre et à se poser des questions. À chaque sonnerie, papa se transformerait soit en James Cagney à la prison Sing Sing, ou en Burt Lancaster dans le film *Le prisonnier d'Alcatraz*.

Mais l'image ne changeait pas pour maman. Je le savais. Ses yeux se remplirent de larmes, qui ne coulèrent pas. Elle avait la vraie image en tête — pas celle des films. Maman voyait papa.

La 10e sonnerie retentit dans la cuisine, et maman tendit le bras vers le téléphone, tout comme moi. Ma main couvrit la sienne.

— Juste cette fois-ci, maman. Il te le doit bien.

Sept sonneries encore se firent entendre, puis plus rien. Le silence nous prit par surprise.

— Respire, maman.

Elle dévisageait le téléphone comme si elle n'arrivait pas à croire qu'une telle chose puisse exister.

— Maman ?

— Ce n'est pas bien, Sophia.

Sa voix était morne. Maman avait l'air d'avoir 60 ans. J'avais tout bousillé. C'était pire. Qu'est-ce que j'avais pensé ? Où avais-je eu la tête, durant toute la semaine ? *Je faisais partie d'un groupe ? Leur raconter des choses ?* Leur parler de ça ? Personne ne pouvait comprendre le moindrement la situation, encore moins des blondes sans cervelle à qui on avait toujours tout servi sur un plateau d'argent. *De ça ?* Merde, moi-même, je n'arrivais pas à comprendre.

La vidéo de papa jouait en boucle dans ma tête. « Assure-toi d'avoir un très bon jeu de jambes, feinte à gauche, va à droite, attaque pour prévenir l'attaque... » Je m'inquiétais comme lorsqu'on perd une dent et qu'on ne peut s'empêcher de mettre la langue dans le trou.

Maman n'avait pas bougé.

— Ça va, maman, mentis-je. Tout va bien aller. Regarde, tu as réussi ! C'est très, très bien. Bravo.

Maman se frotta le visage.

— Je sais que tu essaies de..., commença-t-elle en me prenant les mains. Sophia, il t'a fait trrrès mal, il m'a fait mal aussi. Mais... mais sa main est encorrre sur mon cœurrr. S'il voulait qu'il arrrête de battrrre, ça prrrendrrrait si peu...

Elle me serra très fort la main.

C'était censé régler la situation, la consoler, du moins quelque temps. Peut-être que ses yeux redeviendraient un peu plus clairs. Peut-être qu'elle me verrait mieux. Je faisais presque des cabrioles, pour attirer son attention. J'essayais si fort. Pourquoi n'arrivais-je pas à en faire assez ?

— Ne parle pas comme ça, maman.

J'essayai de penser à une scène de film appropriée pour tout expliquer : *Le roman de Mildred Pierce*, *Mirage de la vie*, *Les plaisirs de l'enfer*. Non, ça ne marchait pas. Je lui souris.

— Ce n'était que la première fois, maman. Coupable, tu te sens vraiment coupable, je me sens un peu coupable moi-même, et...

— Non, Sophia, dit-elle en secouant la tête. Tu es encorrre un bébé, si jeune. Je ne peux pas couper les liens aprrrès tout ce temps. Aprrrès toutes ces années, je sens toujourrrs sa main surrr mon visage.

J'allais protester, dire quelque chose d'intelligent, puis je me souvins. Après tous ces jours, mon corps se réchauffait immanquablement au souvenir de la main de Luke dans mon dos. Ça ne pouvait pas être toutefois le même genre d'émotions.

Ou peut-être que si.

Seigneur, est-ce que Luke m'avait marquée à vie ?

Maman fixait le vide.

— Ses parents lui avaient interrrdit de m'épouser, raconta-t-elle en me serrant encore la main. Ils disaient que j'étais sale. Que je n'étais qu'une bohémienne. Papa disait que j'étais une rrreine et qu'il nous trrrouverrrait un nouveau monde, ce monde-ci. Il était si…

Elle me regarda directement, mais je savais qu'elle ne me voyait pas.

— Maman ! Maman, pour l'amour de Dieu, tu as 38 ans. Ne devrais-tu pas maintenant être insensible à ce genre de chose, ou je ne sais quoi ?

— *Da*, *milo*, dit-elle en souriant encore, à pleines dents cette fois-ci. Ces belles émotions parfois s'en vont. Parfois, elles ne viennent jamais, peu imporrrte les efforts qu'on y met.

J'eus une vision de « Ferg » et moi sur la moquette.

— Et parfois, Sophia, la main rrreste là, surrr le cœurrr, jusqu'à la morrrt.

Bon, si c'était ça, l'amour, c'était un affreux truc mortel, et je ne voulais jamais avoir à vivre ça, ni de près ni de loin. Jamais.

Sans dire un autre mot, nous retournâmes chacune à nos affaires. Maman empila nos vêtements sales et fit un pèlerinage jusqu'à la salle de lavage, au sous-sol.

Je me rendis dans ma chambre et me dévisageai dans le miroir. J'irradiais de stupidité. Quand je ne pus supporter de regarder mon ridicule moi-même une seconde de plus, j'arrachai une feuille de papier. Par où commencer, après tout ce temps-là ? J'avais été si dégonflée.

Le 1er décembre 1974

Cher papa,

Je suis tellement, tellement désolée. Pas seulement de ne pas être allée te visiter. Pour ce soir aussi. C'était de ma faute. Je me sens si mal. Je lui ai dit de le faire. Ou plutôt, de ne pas le faire. Je veux dire, de ne pas répondre, c'était mon idée, désolée. Tu as laissé sonner et sonner, tu as dû te sentir tellement mal. Je ne sais pas à quoi j'ai pensé. Je pensais que ça serait pour le mieux. Tu sais, elle pleure tellement, après.

Oh, il se sentirait tellement mieux, en lisant ça.

Sur une note plus positive, tu serais fier comme un paon de ta princesse. Je suis toujours ta princesse, n'est-ce pas ?

Trop dépendante.

En tout cas, je suis le centre de l'univers, à l'école. C'est vrai, moi et trois Blondes super riches. Je travaille les angles, comme tu me l'as toujours enseigné. Ça n'a même pas été difficile. J'ai des informations sur chacune d'elles. L'une est un peu facile, si tu vois ce que je veux dire, une autre mange bizarrement, et l'autre est adoptée, mais c'est un secret. Pas mal, hein ? Cette fois, je suis en Téflon…

On n'apprend pas à un vieux singe à faire la grimace.

J'entendis la porte se fermer. Maman était revenue du sous-sol. Elle ouvrit les robinets de la salle de bain.

Ça recommençait.

J'aurais voulu donner un coup de pied à quelqu'un, casser quelque chose. Je déchirai la lettre. D'accord, *j'avais* probablement empiré la situation, mais ils ne se comportaient pas bien non plus, ni l'un ni l'autre. J'étais peut-être une dégonflée, je n'avais pas de place pour eux en moi. La peur y était pour beaucoup, c'était le bourdonnement incessant d'une voix dans ma tête qui disait « et s'ils apprenaient, et si… et si… ».

Alors, ouais, j'avais probablement empiré les choses, mais, pour une fois, je n'allais pas m'effondrer. Ils avaient tort, et *même* si je ne m'étais pas dégonflée, ils auraient quand même tort. On *ne* peut *pas* vivre toute sa vie à attaquer les autres avant qu'ils nous attaquent, *et* on *ne* peut *pas* rester assis à attendre que le stupide téléphone sonne.

Certainement pas.

Je pense.

La première ligne d'Oakwood était constituée de véritables monstres. Je ne savais pas jusqu'à ce jour que des filles pouvaient être aussi imposantes. Je leur jetais des regards furtifs, pendant qu'elles s'entraînaient. Quand elles prenaient leur position, elles avaient l'air d'un mur de stade. Et voilà, nous y étions, en demi-finale, et mon cœur battait si fort que je pouvais à peine m'entendre paniquer.

— Seigneur. Oh, seigneur, oh, seigneur.

Kit me donna un petit coup de coude, alors que nous prenions place comme arrières gauche et droit.

— Relaxe, Soph. Elaine a dit que l'an dernier, c'est la panique qui nous a fait perdre contre elles. Elles sont peut-être énormes, mais elles sont lentes et stupides, sauf la joueuse de centre.

Nous jetâmes un coup d'œil au numéro 14 de l'équipe d'Oakwood. J'avais déjà vu des immeubles plus petits qu'elle.

— On dit qu'elle est rapide et agressive. On se mettra les deux contre elle.

— Les deux contre elle ? grognai-je. Elle va nous écraser comme des mouches.

Kit et moi étions les deux plus petites joueuses sur le terrain. Même Madison, notre amazone, avait l'air d'une Barbie, lorsqu'elle s'aligna devant le numéro 14 pour la mise en jeu.

— D'accord, dis-je. On va se mettre deux contre elle et lui régler son cas. Il faut qu'on s'arrange pour qu'elle soit expulsée d'ici la fin du troisième quart.

Kit leva les pouces en signe d'approbation. Nous avions notre stratégie. Le numéro 14 allait certainement se faire protéger par ses lents gladiateurs. Notre stratégie, donc, serait de sacrifier nos corps pour encaisser les coups et faire en sorte que le plus grand nombre possible de nos adversaires se fassent pénaliser pour rudesse.

Ce fut la mise en jeu, que Madison perdit. Le match était en cours ! Kit avait son regard maniaque qui me servait d'inspiration. Quand elle avait l'air aussi démente, ça me calmait. Je me mis à harceler leur avant droit, qui fit une passe à sa joueuse de centre. Je lui volai le ballon, et, tandis que je commençais à pivoter, je sentis comme une poutre de métal s'affaisser sur mon épaule. Je tombai par terre.

Puis, voilà, on n'aurait pas pu ne pas la reconnaître, dans les gradins des visiteurs.

— Hé, l'arbitrrre, surrrveille ça, surrrveille, surrrveille ! Pourrrquoi elle frrrappe Sophia ? Quelle honte !

Seigneur Jésus. Maman.

— Ce n'est pas une parrrtie de football, ici, là !

Et les tantes.

Pas de sifflet. Pas de faute. L'allure du match était donnée.

Au moment où la sonnerie de la mi-temps retentit, nous étions toutes désarticulées et en retard de six points. Personne d'Oakwood ne s'était fait expulser. Madison boitait, mais aucune d'entre elles n'avait obtenu plus de deux fautes. Le bras que j'utilisais pour lancer était anéanti, et elles se mettaient à trois contre moi. Allezy tapait des mains et nous faisait des signes en même temps.

— Allez-y, les filles, allez-y. On les a dans notre manche, comme prévu.

— Ouais, elles ont l'air vraiment paniquées, grogna Kit en regardant Allezy traverser nonchalamment le terrain.

Allezy l'ignora.

— Bon, les filles, de l'eau et des quartiers d'orange. Hydratez-vous, hydratez-vous.

Je pouvais entendre au-dessus de moi le papotage caractéristique de mes tantes toutes confuses. Je retournai au centre du terrain et levai les yeux. Les trois tantes étaient penchées par-dessus la rampe, regardant anxieusement le terrain vide. Maman, absorbée dans une conversation avec le grand-père de Madison, le juge, était complètement insensible à leur détresse. Même Phil le drogué était sur place. Il me fit un signe de paix.

— *Buboola*, cria tante Eva. C'est fini ? Pourrrquoi vous ne jouez pas ? Vous avez déjà gagné ?

— C'est la mi-temps, criai-je aussi.

— Oh, la « demi-temps », fit tante Eva en hochant la tête.

— « Demi-temps », dit tante Luba.

— *Da*, « demi-temps », ajouta tante Radmila.

— Chérrrie, pendant la « demi-temps », voudrrais-tu peut-êtrrre qu'on te rrrecoiffe un peu les cheveux ? offrit tante Luba.

Ouah, que fumait-elle, là-haut ?

— *Ya*, dit tante Eva, et ces grrrosses filles de l'autrrre équipe, pourrrquoi sont-elles si pas gentilles ?

La première ligne d'Oakwood au complet dressa l'oreille.

— Est-ce que le monsieur à rrrayurrres, là, avec le sifflet est leurrr chef ? demanda gentiment tante Luba.

Malheureusement, l'arbitre, qui jetait un coup d'œil au chronomètre, l'entendit et me décocha un regard noir.

— Euh, on recommence dans une dizaine de minutes, je dois y aller.

Je me rendis au banc pour rejoindre Kit, mais elle n'y était pas.

— Où est Kit ? demandai-je.

Madison, qui mettait de la glace sur son genou, haussa les épaules.

— Aux toilettes, je suppose.

Je filai tout droit au vestiaire. Il était vide, mis à part deux joueuses féroces d'Oakwood.

Elles l'avaient peut-être mangée.

Je joggai jusqu'à l'autre porte du vestiaire, qui menait dans un couloir de l'école, et je trottai dans le couloir beige sale. Je pouvais m'entendre haleter en stéréo. Où diable pouvait-elle être ? Au bout complètement, près de l'entrée est, se trouvaient les toilettes des filles. J'ouvris la porte juste assez pour passer la tête dans l'ouverture. C'était vide.

Mon nez fut le premier touché. Puis, quelque chose se répandit jusqu'au fond de ma gorge. J'eus un haut-le-cœur. La puanteur était acide et rance. J'avais déjà senti cette odeur.

J'entendis un rot, puis la chasse d'eau qu'on actionnait dans la dernière cabine. Kit en sortit et se rendit au lavabo le plus calmement du monde, sereine. Je la regardai se regarder dans le miroir. Elle avait l'air — comment dire — satisfaite d'elle-même ? La folie de son regard, qui m'inspirait tant, avait disparu.

— Kit ?

J'entrai, luttant contre mes gargouillements d'estomac.

— Kit, veux-tu bien… ?

Son regard changea. Son inquiétude se transforma en colère, puis en quelque chose que je n'arrivais pas à déchiffrer. Je m'approchai du lavabo, tandis qu'elle ouvrait le robinet.

— As-tu dégueulé ? Ça va ?

— Oh, ouais, juste un peu.

Elle haussa les épaules.

Je n'arrivais pas à interpréter le message. Elle se referma. Est-ce que toutes les Blondes savaient comment faire ça ?

— Vous m'avez toutes avertie, pour les tablettes de chocolat que j'ai mangées en chemin. Mais est-ce que j'ai écouté ? grogna-t-elle. Ça m'apprendra.

Il n'y avait plus de savon, dans le distributeur. Elle ne sembla pas s'en rendre compte.

Je dévisageai son reflet dans le miroir. Chaque fois que je vois vomir quelqu'un, même papa, ça sort de partout. Pas juste par la bouche ; il y a le nez qui coule, les yeux qui pleurent, et la sueur qui sort d'endroits tout à fait insoupçonnés. Kit était absolument sèche. Elle avait l'air tout à fait normale, sauf pour le coin de son œil gauche, devenu rouge sang. Je ne comprenais pas.

— Kit, ton œil.

Elle tourna légèrement la tête vers la gauche.

— Oh, ce n'est rien. Je suis prédisposée à l'éclatement de petits vaisseaux sanguins comme ça. Ça ne fait pas mal.

Je ne pouvais m'arrêter de la dévisager.

— Papa dit que ça court, dans la famille.

Puis, je compris finalement. C'était clair comme le jour. J'avais affaire à une pro. Kit Cormier mentait.

Elle mentait sur son œil injecté de sang. Pourquoi ? J'aurais voulu la secouer, lui dire qu'on ne montre pas à un vieux singe à faire la grimace. Lui dire de cracher la vérité, d'une menteuse à une autre. Je murmurai plutôt :

— Qu'est-ce qui se passe, Kit ?

— Quoi ? répliqua-t-elle en se savonnant furieusement les mains, sans savon. Ce n'est rien. Comme je te l'ai dit, c'est à cause de tout ce maudit chocolat.

C'était difficile de respirer sans avoir de haut-le-cœur. Je secouai la tête.

— Non, l'odeur… Kit, tu vomis, tu perds connaissance et tu vomis partout. Et l'odeur, l'odeur n'est pas normale. Je vais aller chercher Allezy.

Elle me prit le bras avant que je ne puisse finir ma phrase.

— Attends !

Quelle poigne, cette Kit !

— Non. Tu ne comprends pas. Je ne suis pas malade. Je… je… Euh… C'est correct, je me suis fait… Euh. Ne va pas chercher qui que ce soit. J'ai fait exprès.

Elle prit une serviette en papier.

Si seulement j'avais pu prendre une grande inspiration.

— À peine quelques fois, je le jure, je le jure. Le problème, c'est que je ne veux pas redevenir grosse, tu vois ?

Le vaisseau sanguin éclaté était presque beau. On aurait dit un flocon de neige rouge.

— Mais maintenant, je reconnais que c'est mal. Ouah, tu devrais te voir l'air. Souris. Ça va. Je ne le referai plus. Je le reconnais. Je te le promets, Soph. Cool ?

C'était le même scénario, parfois, avec papa. J'avais seulement à faire oui de la tête devant Kit. C'était comme ça, avec papa, faire oui de la tête. En faisant oui de la tête, je promettais de ne pas dire à maman qu'il buvait quelques verres en cachette. C'était notre petit secret, je restais sa princesse, et tout allait bien. Juste faire oui de la tête. « Faire oui de la tête, bon sang, tu sais comment faire ça. »

— Je veux que tu le dises à ton père.

— Quoi ! ?

De la panique, vraiment, dans son regard.

— Tu fumes du bon stock, toi ! Écoute, je vais bien, ce n'est rien. J'ai dit que je ne le referai plus, et quand c'est dit, c'est dit.

Je n'avais plus sept ans. J'essayai de prendre une bonne respiration.

— Kit, je n'en sais pas beaucoup dans la vie, mais je sais reconnaître des toqués quand j'en vois, quand je le sens. Ça me fout les nerfs en boule. Tu le dis à ton père, ou je le dis à l'infirmière de l'école. Je ne sais pas ce que c'est..., dis-je en montrant les toilettes, mais c'est quelque chose de particulier.

— Es-tu folle ? lança-t-elle en enfonçant ses doigts dans mon bras. Tu échappes un traître mot à ce sujet, et je te détruis. Ça en sera fini de toi à Northern.

Et voilà. J'étais de nouveau au pied du mur. « Fais simplement oui de la tête ! Ça te tuerait de faire oui de la tête ? » Une école de plus. Je ne pourrais pas, pas encore. Je me mis à pleurer.

— Je sais, Kit, commençai-je en versant toutes les larmes de mon corps. Je le sais. Je le jure sur ma vie, je ne le dirai à personne, ni à Madison, ni à maman, mais… Kit, je *vais* le dire à l'infirmière.

Je me mouchai dans une serviette en papier, puis je poursuivis.

— Bien sûr que tu peux me détruire. Toi, tout le monde t'aime. Je ne suis personne pour les autres, pour toi. Tout le monde, bien sûr, personne…

Je pleurais comme un veau.

— Kit, tu me fais mourir de trouille. D'accord, j'ai peur d'un rien, mais peu importe, ce que tu fais, c'est mauvais.

Au lieu de m'arracher le bras, Kit eut les yeux pleins d'eau.

— Tu n'as rien dans la tête, Sophie.

Elle s'appuya lourdement sur le lavabo.

— Je sais.

La sonnerie nous prit par surprise. Il ne restait plus que deux minutes.

— Merde.

— Kit ?

— D'accord, d'accord, je vais le lui dire.

Je lui fis un câlin et lui mis du jus de nez sur toute l'épaule.

Elle ne me rendit pas le câlin.

Mais elle me donna une claque derrière la tête.

Après nous être aspergées de l'eau dans le visage, nous nous rendîmes au gymnase.

Allezy piqua une crise, car nous étions revenues à peine à temps pour la reprise de la partie.

— Merci de vous être pointées, mesdemoiselles.

Je fus tout de suite malmenée dans les premières secondes. J'allais sauter à la gorge du numéro 14, quand Madison demanda un temps d'arrêt. Nous nous réunîmes autour d'Allezy.

— Sophie, relaxe. Elles sont trois contre toi. On ne peut pas se permettre que tu te fasses sortir. Ne réplique *surtout pas*, peu importe la provocation. Elles veulent te faire expulser. Pas de fautes. As-tu compris ?

— J'ai compris.

— Parfait.

Le sifflet retentit. Dès la reprise du jeu, le numéro 14 se dirigea tout droit vers Madison, dans le but de lui asséner un coup à son genou affaibli. J'attrapai une faute, lorsque je la fis accidentellement trébucher.

Allezy explosa sans retenue.

— Est-ce qu'il va falloir que je te retire, Sophie ?! Tu veux que je t'assoie sur le banc ? Hein ?

Malheureusement, les tantes l'entendirent et elles se précipitèrent toutes à la rampe en une seconde.

— Rrretirrrer Sophia ? Sophia ! Sorrrtez la grrrosse de l'équipe d'en face, qui pousse, qui bouscule. Pourrrquoi l'homme rrrayé ne lui donne-t-il pas de faute ? Il a pris une trrrès mauvaise décision.

Je jure qu'elles faisaient à elles seules plus de bruit que tous les partisans d'Oakwood.

L'arbitre, qui se trouvait au sommet de l'arc, mit les mains sur ses hanches et leur lança un regard furieux. Les tantes se rassirent. Tante Radmila sortit son ouvrage et se mit furieusement à faire du crochet. À ce rythme, elle allait transformer son napperon en couvre-lit d'ici la fin du troisième quart.

Nous étions en retard de huit points.

Au jeu suivant, Kit fit une belle passe à Madison, avant de recevoir un coup tardif dans la poitrine, gracieuseté de la meneuse de jeu d'Oakwood. Elle tomba. Elle était encore par terre, lorsque Madison marqua un panier. Aucune faute décernée. L'ancienne Kit maniaque aurait sauté sur le dos de la géante. La nouvelle Kit demanda un temps d'arrêt, pendant qu'elle était encore à genoux. Nous l'aidâmes à retourner au banc. Je levai les yeux. Les tantes étaient silencieuses, mais on aurait dit qu'elles allaient s'éclater un rein.

Nous nous rassemblâmes derrière la ligne de côté. Sarah, qui n'avait pas joué au deuxième quart pour prendre soin de son épaule, allait maintenant revenir au jeu en remplacement de Kit. Celle-ci passa son bras autour de mon cou.

— Laisse Madison attraper elle-même ses fautes. Elle n'en a que trois, et Sarah est fraîche comme une rose. On a besoin de toi plus que des autres, plus que de moi.

Je lui décochai un regard.

— Et tu le sais.

Elle me donna une autre claque sur la tête. Je ne pourrais bientôt plus supporter autant d'affection de sa part.

— Lance plus souvent, Sophie, Madison va te faire des passes.

Madison fit signe que oui.

— Et Sarah va s'occuper des coups bas. Reste calme et garde tes mains pour toi. L'arbitre va siffler contre toi, si tu fais même juste mine de regarder une joueuse d'Oakwood.

— Allez-y, Kit, Madison, dit Allezy en applaudissant. C'est ça, le jeu !

Nous retournâmes sur le terrain en courant.

— Laisse-la aller, Soph ! cria Kit.

Les filles d'Oakwood étaient brutales, mais nous n'étions pas en reste. C'était un vrai carnage, mais je me comportais comme une sainte. Je ne sais plus à combien de reprises on me frappa dans le dos, aux épaules ou dans le ventre, mais je me contentai chaque fois de me dégager sans riposter. Mon équipe ne fit pas montre d'une telle discipline, par contre. Madison se fit sortir à la fin du troisième quart, et, chose incroyable, ce fut Kit qui la remplaça au centre. Elle me lança quatre fois le ballon, pendant qu'Oakwood se demandait encore comment la contrer à cette position. Tous mes lancers aboutirent à des paniers. Sarah se fit sortir au début du quatrième quart et elle quitta le terrain d'un air triomphant. Jessica Sherman s'amena à sa place, donna tout ce qu'elle avait à donner et se cassa trois ongles sur les joueuses d'Oakwood. Au dernier temps d'arrêt, je suggérai d'aller au centre, tandis que Kit jouerait comme avant droit. Kit et Allezy acceptèrent. C'était tout ce que ça prenait pour mélanger les joueuses d'Oakwood dans les dernières minutes. Je marquai deux autres paniers.

Nous gagnâmes la partie dans la période de prolongation.

Nous sautâmes les unes sur les autres, nous comportant plus férocement encore que les joueuses d'Oakwood ne l'avaient fait à notre endroit. Les tantes, maman, le juge et Phil le drogué devinrent complètement hystériques. Les tantes descendirent les marches avec fracas en poussant des cris et en embrassant toute l'équipe, tandis que les filles essayaient de se rendre au vestiaire. Maman s'accrocha à moi, réussissant ainsi à réveiller la douleur d'absolument tous mes bleus, pour me faire un long et gros câlin.

— Tu étais trrrès magnifique, Sophia, dit tante Luba.

Inconscientes de tous les panneaux, tante Luba et tante Eva fumaient, en ayant soin de faire tomber délicatement la cendre de leur cigarette dans le cendrier portable de tante Radmila. L'entraîneuse d'Oakwood avait quitté les lieux, mais l'arbitre leur décocha un long regard, avant de décider qu'il avait mieux à faire et de s'éclipser à son tour.

Bon choix de sa part.

— *Ya*, trrrès, trrrès magnifique, acquiesça tante Eva pour ne pas être en reste. Encorrre plus magnifique que Frrrank Mahovlich, même.

— C'est un joueur de hockey, tante Eva.

— Je le sais.

C'était comme ça, avec elles : un chemin sinueux en bordure de la zone grise de la logique. Maman me jouait dans les cheveux.

— Les tantes veulent t'emmener célébrrrer au resto Chez Mike. Je dois montrrrer une maison à demi-niveaux à des Ukrrrainiens.

— Merci d'être venue, maman, vous étiez toutes… Eh bien, c'était fantastique d'avoir de l'appui.

Maman me regarda avec un visage rayonnant.

Le juge regarda maman avec un visage tout aussi rayonnant.

— C'était fantastique de vous revoir, Magda.

— *Ya*, vous aussi.

Maman sourit distraitement et elle partit, me soufflant des bisous de l'autre côté du gymnase.

J'arrivai dans le vestiaire au même moment où Madison, Kit et Sarah en sortaient pour se faire reconduire par le juge. On se tapa de nouveau les mains. Madison passa son bras autour de mes épaules.

— Incroyable ! Tu as super bien joué, Sophie. Et les as-tu vus ?

Je secouai la tête de haut en bas.

— Je crois que mon grand-père a un peu le béguin pour ta mère.

Beurk.

— Le béguin ? C'est si… Je veux dire, eh bien… Maman est encore, euh…

Seigneur, que devais-je dire ensuite ?

— Encore quoi ? demanda Kit.

— En deuil, évidemment, compléta Sarah.

Que Dieu la bénisse.

— C'est vrai, dit Kit en me faisant un gros câlin. N'écoute pas Madison ; elle peut être tellement insensible, quand elle s'y met.

— Mais ça fait des années…, gémit Madison.

Kit commença à pousser Madison et Sarah vers le couloir.

— Kit ?

Elle tourna la tête.

— Tu vas…

— Je suis là-dessus. Je te le promets, dit-elle en me faisant un clin d'œil rouge flocon de neige.

Je dus avoir l'air sceptique, ou quelque chose du genre.

— Sophie, je suis peut-être toquée, mais je ne suis pas menteuse, ajouta-t-elle en me regardant dans les yeux. Pas cette fois-ci. Tu me crois ?

— Je te crois.

Et je la croyais, mais la tête me tournait. De toute évidence, ces Blondes, mes Blondes, étaient beaucoup plus compliquées qu'elles en avaient l'air.

Nous nous entassâmes toutes dans la Cadillac Seville 1968 bleu poudre de tante Luba. Le blanc si pur de l'intérieur de la voiture nous donnait l'impression de nous engouffrer dans une guimauve. Sur la route, nous étions aussi confortables que dans un salon. Dès que tante Luba mit la clé dans le contact, tous les visages s'illuminèrent. Nous étions maintenant parties, flottant sur l'avenue St. Clair dans un nuage de fumée. Tandis que j'étais occupée à prier pour que personne ne puisse me reconnaître au resto Chez Mike quand nous sortirions de ce carrosse, chacune d'entre elles, y compris tante Luba, se tourna vers moi, le sourire fendu jusqu'aux oreilles.

— Il est beau, ton beau garrrçon, dit-elle.

— Quoi ? Qui ? Luke ? Comment… ?

— Il était là. Tu ne l'as pas vu ?

— À la partie ! ? À Oakwood ? Non ! Impossible.

— Trrrès beau, fit tante Luba en hochant la tête. Il est éperrrdument amourrreux de toi.

— Ça ne pouvait pas être lui, mes tantes.

— C'était lui, dit tante Eva entre deux bouffées. Il est venu, il a vu, il a crrrié. Alorrrs, nous lui avons demandé son nom. Il était avec un autrrre garrrçon, David Walterrr, ou Walterrr David. Pourrrquoi tant d'anglais porrrtent-ils des prrrénoms comme noms de famille ? Je ne crrrois pas...

— Hé, hé, hé ! Une minute. Luke est resté *combien* de temps ?

Tante Eva chercha dans sa mémoire.

— Un petit bout de temps dans la premièrrre demie. Puis, il est rrrevenu à l'« ami temps ». Il te cherrrchait sur le banc des joueuses.

— *Da*, ajouta tante Radmila, il rrregarrrdait et rrregarrrdait. Il est fou de toi, c'est sûrrr, mais il ne le sait pas. Pas encorrre.

Je voulais me lancer dans le trafic. À la mi-temps. Et où étais-je ? Occupée aux toilettes avec Kit, c'est ça. Seigneur, seigneur. J'avais eu un plan. Trouver les Blondes, me joindre à elles. Pas d'amitié, pas de risque, rien, jouer le jeu, peu importe lequel, et juste me fondre dans la masse. Et qu'avais-je fait ? Me lier d'amitié avec elles *et* perdre ma chance avec Luke. C'était un signe de Dieu, un Dieu irrité, un Dieu qui était de toute évidence d'accord avec la philosophie de papa.

Tante Luba s'arrêta et se stationna — illégalement, dois-je l'ajouter — directement devant le restaurant.

Mike se retourna derrière le comptoir et commença à m'applaudir en me voyant entrer.

— Madison a téléphoné. T'as joué avec des couilles, ma petite, des couilles d'acier inoxydable. La maison t'offre le café.

Il aperçut les tantes au même moment qu'elles le virent. Pourtant, je ne crois pas qu'elles voyaient le même homme que moi, chauve, massif, dans un tablier graisseux. Elles se passèrent frénétiquement les mains dans les cheveux, se pomponnèrent, riant sottement et faisant battre énergiquement leurs cils recouverts de mascara. Je jure qu'elles prirent la version Europe de l'Est de l'accent du Sud, lorsque je fis les présentations.

— Et voici tante Lu...

Elle porta la main à son cœur, ce que je trouvais excessif, même pour une tante.

— Mikos ? C'est toi ?

— Lubica ?

Mike s'essuya les mains sur son tablier, tout en s'approchant de tante Luba.

— Lubica, ma petite jonquille ?

Petite ? Tante Luba pèse au moins 185 livres.

— Mikos, toi, ici ? Tu es le Mike de ma Sophia ?

— Lubica.

Ils continuèrent ainsi, dans un discours décousu, pendant 20 autres bonnes minutes, avant que nous nous assoyions enfin et que Mike commence vraiment à préparer notre commande. C'était censé être *moi*, la vedette.

On aurait dit que tante Eva allait faire exploser les agrafes de son soutien-gorge.

— Ce n'est pas le Mikos de Prrrague, en 1951 ?

Tante Luba fit signe que si.

Tante Eva joignit les mains et regarda au ciel.

— Merrrci à Dieu, tu porrrtes la bonne gaine de 18 heurrres. Vite, rrremets du rrrouge à lèvrrres, pendant qu'il est aux fourrrneaux.

Tante Luba s'ajouta du rouge à lèvres en se servant de son couteau comme miroir.

Tante Eva se tourna vers moi avec un air accusateur.

— Que ça te serrrve de leçon. Ne sorrrs jamais de chez toi sans un bon soutien. Où sont passés tes seins ? Ton beau garrrçon était là, et tu n'as pas de seins.

— C'est ce qu'on appelle un soutien-gorge de sport, gémis-je. En plus, je vous l'ai dit, Luke est pratiquement fiancé à Alison Hoover.

— Pfft, lâcha-t-elle. Ce n'est pas une excuse pourrr ne pas mettrrre ton soutien-gorrrge rrrembourrré. Le soutien-gorrrge que tu porrrtais t'écrrrasait. Tu dois trrrouver un soutien-gorrrge de sporrrt rrrembourrré. As-tu au moins trrrouvé un bon garrrçon avec qui t'exerrrcer ?

Mon estomac fit un tour, quand j'eus une vision de Ferg-fait-plus-cool en train de me tripoter. Au moins, il m'évitait tous les jours à l'école. Tante Eva, qui sentait quelque chose, allait bondir, mais Mike apparut avec notre commande. L'assiette de tante Luba débordait d'une double portion de tout. Ses frites tombaient sur la table.

— Tu fais peine à voir, petite Lubica, lui dit Mike. Une fille comme toi a besoin de forces.

Seigneur.

— Euh, qu'est-ce qui te prrrend, Mikos ? réussit à lancer tante Luba.

Toutes les tantes rougirent et rirent, jusqu'à ce qu'il se décide à aller faire un autre pot de café « frais comme une rose ».

C'était d'un bizarre dégueulasse. Mon Dieu, ces gens étaient dans la quarantaine !

— Je l'ai toujours su ! dit tante Eva dès que Mike fut trop loin pour l'entendre. Des sous-vêtements qui soutiennent bien, c'est crrrucial. Alorrrs, ce garrrçon pourrr t'exerrrcer ?

Je cédai. C'était inutile. Je n'arriverais pas à mentir aux tantes.

— C'était un désastre, ce garçon… C'était l'enfer. C'était affreux, une vraie catastrophe.

— Ce n'est pas vrrrai, grogna tante Luba. Ne dis pas ça. Le garrrçon était cerrrtainement un désastrrre, Sophia ; pas toi, jamais !

Chacune de nous quatre se mit à réfléchir en mastiquant ses aliments.

— J'ai détesté ça, chaque seconde. Je pensais que j'avais un grave problème.

— Non, non, non !

Les fourchettes bougèrent dans toutes les directions, les frites tombèrent. Tante Eva prit la balle au bond.

— C'était un mauvais garrrçon pourrr s'exerrrcer, c'est cerrrtain. Ça arrrive. Embrrrasser, embrrrasser, c'est comme patiner.

Bon, même pour les tantes, c'était bizarre.

— C'est bien vrai, dis-je. Pourquoi n'y ai-je pas pensé ?

— *Ya*, bien sûr, lâcha tante Radmila.

Les tantes ne comprenaient pas l'ironie.

— Un bon baiser doit laisser une bonne imprrression arrrtistique et comporrrter une bonne technique, *ya* ? Ce n'était pas le bon garrrçon avec qui t'exerrrcer, c'est tout. Kaput.

Elle ne savait même pas la moitié de ce qui s'était passé.

Mike apparut, versant le café comme si c'était du champagne.

— On parrrlait de l'arrrt d'embrrrasser, dit gentiment tante Eva.

Je ne savais pas où regarder. Tante Luba non plus. Elle me prit la main et la tint sous la table.

Mike s'étira pour prendre la tasse de tante Luba, la regardant directement dans les yeux.

— Un bon baiser, le baiser parfait, reste marqué à jamais sur les lèvres.

Mais que se passait-il avec tout le monde ? J'en avais ma claque. Qu'ils aient éprouvé *ce genre* de sentiments il y a une centaine d'années, c'était déjà assez pénible. Qu'ils les ressentent peut-être encore, c'en était trop.

La main de tante Luba tremblait dans la mienne.

Je la serrai plus fort.

Elle fit de même.

Aucune de nous deux ne dit un mot de plus de tout le souper, mais personne n'aurait pu le remarquer, tant les jacassements de tante Eva et de tante Radmila prenaient toute la place. Elles débattirent des mérites respectifs des bas-culottes fins et des bas-culottes de soutien, ainsi que de la méchanceté des joueuses de l'équipe de basketball d'Oakwood. Elles passèrent 20 minutes à essayer de comprendre comment *tous* les hommes peuvent seulement penser — non, mais est-ce assez stupide et tragique ? — que les femmes puissent trouver « romantique » de recevoir de la lingerie ou de se faire lécher l'intérieur des oreilles. Je jure que je n'avais d'aucune manière insinué que Ferg-fait-plus-cool s'était lui-même laissé aller à commettre cet acte insensé. Il fallait leur donner ce qui leur revient : les tantes *connaissaient* la vie. Je me sentis de nouveau plutôt bien, à la fin du repas, même si c'était peu pratique de manger d'une seule main.

Après qu'elles furent amenées à prendre de gigantesques coupes glacées au caramel — « d'accorrrd, juste cette fois-ci, pourrr te fairrre plaisirrr » —, tante Eva s'informa d'Elena, la femme de Mike.

— Alorrrs, Mikos, qu'arrrive-t-il de ta folle épouse ? Est-elle morrrte, la pauvrrre ?

— Folle, tu as raison, répondit-il en riant. Eh bien, Eva, c'est comme ça. Elle détestait sa vie ici, alors elle a finalement arrêté de râler et elle est retournée dans son vieux pays il y a environ un an.

— Qu'elle rrrepose en paix, dirent à l'unisson tante Eva et tante Radmila.

Les tantes ne songeraient même pas l'espace d'une seconde à retourner dans leur vieux pays.

Tante Luba me serra encore la main.

Au moment de partir, nous en étions rendus à nous serrer la main et à nous faire la bise, à l'européenne, sur les deux joues, ce qui était plutôt bizarre puisque Mike était mon patron et tout. Je me mis dans tous mes états à me demander si dorénavant, je devrais le faire chaque fois que je viendrais travailler.

De retour dans la guimauve, tante Eva et tante Radmila se mirent à se moquer de la pauvre tante Luba et à planifier ses fiançailles. Tante Luba, quant à elle, avait l'air de s'être fait passer dessus par un tramway. Elle reconduisit chacune chez soi. Lorsque nous arrivâmes à l'appartement, elle éteignit le moteur et regarda droit devant elle sur la route.

— Qu'est-ce que je devrrrais fairrre ?

— Ce que tu devrais faire ? Tu me demandes ça à moi ?

Elle hocha la tête.

Elle me le demandait ! Un adulte, une tante même, me demandait à moi — enfant et gaffeuse de première classe — quoi faire ?

— Eh bien, seigneur, tante Luba, il y a des sentiments et des relations, là-dedans, et des choses comme ça.

Elle approuva de la tête. Les larmes lui montaient aux yeux.

— Retiens-toi, tante Luba, dis-je en lui tapotant la cuisse, plutôt forte, mais bien gainée. Mary Kay ne fait pas de mascara résistant à l'eau.

— Je ne faisais que réfléchir. Qu'en penses-tu ?

Ouah, je n'arrivais pas à le croire.

— Eh bien, dis-je, ça fait combien de temps qu'oncle Boris, euh, repose en paix ?

— Seulement 11 ans, dit-elle en reniflant.

— Bon. Eh bien, il y avait de toute évidence quelque chose entre Mike et toi, quand vous étiez jeunes.

Le visage de tante Luba s'illumina et s'adoucit simultanément. Mon Dieu, elle avait de nouveau 19 ans. Qu'est-ce que je pouvais faire ?

— C'est un homme vraiment bien, tante Luba. Écoute, je finis à 15 h, les samedis. Attends quelques semaines, et pointe-toi au restaurant vers 14 h 10 ; tu feras semblant que tu viens me chercher pour aller faire des courses, ou quelque chose comme ça. Ça va te donner assez de temps pour faire opérer ta magie.

Ouah, j'avais l'impression d'avoir 35 ans.

Elle réfléchit attentivement à ce que je venais de dire, puis me regarda, le visage rayonnant.

— C'est bon. Nous allons fairrre ça. Deux semaines, c'est bon. Je peux perrrdrrre au moins sept livrrres, en deux semaines.

Elle me serra dans ses bras.

— Merrrci, ma petite Sophia. Tu grrrandis bien.

Et pendant tout le temps qu'elle me fit son câlin, je crus ce qu'elle venait de dire.

On aurait pu croire que la chambre de Madison serait remplie de choses au goût du jour, tout aussi incroyables et formidables les unes que les autres. On y trouvait plutôt de vieux meubles foncés, pas même assortis. Comme l'aurait dit tante Eva, même les pets étaient bien rangés, et peu importe la façon dont ces meubles avaient été aménagés ou décorés, ils n'en demeuraient pas moins de vieilles choses dépareillées. Son lit et une de ses tables de chevet avaient appartenu à une grand-tante. Une commode et une chaise faisaient partie des bagages de son arrière-arrière-grand-mère à son arrivée d'Angleterre. Le reste venait de sa grand-mère, la femme du juge.

Je lui avais une fois posé des questions à ce sujet, et — chose assez inhabituelle chez Madison — elle en avait été froissée. D'un geste désinvolte, elle m'avait montré la pièce en me faisant remarquer que ces « antiquités inestimables » constituaient des biens ancestraux très appréciés dans sa famille, « ce que tu ne peux pas comprendre, de toute manière ».

Je m'étais vexée, moi aussi, et j'avais rétorqué que comme Européenne, mon éducation en matière de décoration s'était limitée à des principes de base tels que « grand-mère Shlipik vient de tomber raide morte, et nous nous retrouvons maintenant avec sa saloperie de vieille chaise sur les bras ». C'était cette fois-là que nous étions passées le plus près de nous chicaner. Jusqu'alors.

Notre travail éreintant était derrière nous. La saison de basketball était terminée, et nous avions dominé l'univers — ou du moins, la ville. La vraie finale du championnat contre Malvern avait manqué de suspense, après l'intensité de la victoire contre Oakwood. Deux jours après la partie, Madison avait déclaré qu'il était grand temps de reprendre contact avec notre déesse intérieure. Nous allions toutes deux nous faire de toute urgence des masques de beauté, des manucures et des pédicures à même les produits de Madison, non ceux de maman. J'étais couverte de deux centimètres de Magic Mask, qui détoxifie et exfolie la peau pour en faire ressortir l'éclat luminescent. Madison arborait plusieurs couches de Re-Nutriv, pour ses supposés problèmes d'hydratation.

Je ne cessais de discourir sur la flamme qui habitait à nouveau Mike et tante Luba.

— Tu aurais dû voir ça, elle était là à déborder de ses sous-vêtements et à me demander à moi des conseils sur sa vie romantique. Franchement, ensuite, ce sera quoi ?

Au lieu de grogner en accord avec moi ou, à tout le moins, d'émettre des bruits compatissants, Madison demeurait simplement assise, peinée. Du moins, c'est ce que j'imaginais. C'était difficile à dire, avec toute cette substance visqueuse sur son visage.

— Te voilà repartie, soupira-t-elle.

— Oh, désolée, dis-je. Je ne voulais pas... Euh...

Madison soupira encore.

Elle soupirait beaucoup, ces derniers temps. En proie à la paranoïa, je fouillai dans mes souvenirs. Chaque fois que je mentionnais quelque chose de stupide à propos de maman ou des tantes — je fis défiler les dernières semaines dans ma tête —, ouais, beaucoup de soupirs. Seigneur, ça devait forcément arriver. Madison en avait ras le bol de nous toutes, de moi. Effectivement, c'était inévitable.

— Qu'est-ce qu'il y a, Madison ? Dis-le-moi, et je...

Profond soupir.

— Ce n'est pas toi, c'est moi.

C'étaient là des mots de rupture, si tant est que j'en aie déjà entendu.

C'était probablement inévitable. Les Blondes n'avaient plus besoin de moi ; la saison de basketball était terminée. J'avais baissé la garde, je n'étais pas restée à l'affût, je n'avais rien vu venir.

— Écoute, Madison, je peux arrêter tout de suite d'écumer de rage, si tu veux. Tu dois en avoir marre de…

— Veux-tu bien arrêter ! dit-elle en m'attrapant le poignet. J'essaie de te dire que ce n'est pas toi, c'est moi.

Bon, était-ce là un étrange rituel de Blondes en vertu duquel on se rend chez la chef de la bande pour se faire faire un traitement facial, avant de recevoir un coup de poignard dans le dos ? On en ressort donc le cœur brisé, mais fraîche et dispose ? Je fis signe que oui et rassemblai mes forces, prête à recevoir une volée de bois vert.

— Tu n'as tellement jamais peur, Sophie. Tu es tellement ouverte à tout. Honnête.

— Honnête, répétai-je.

— Ouais, honnête, je n'arrête pas de te le dire. Je n'ai jamais rencontré quelqu'un de si… si… je ne sais pas, aussi vrai que toi.

D'accord, j'étais trop *honnête* ?

— Et c'est énervant ?

— Non, idiote. C'est moi, le problème. *Moi*, tu comprends ?

Elle ? Elle n'arrêtait pas de parler d'elle. Est-ce que je me faisais rejeter, oui ou non ?

— J'aimerais être comme toi, Sophie, juste m'ouvrir et…

Ma tête tournoyait.

— Holà ! Une minute ! Madison, écoute, ça va faire, je ne suis pas la gardienne de l'honnêteté. Si seulement tu savais. En fait, Madison Chandler, il est peut-être temps que tu saches…

Elle me prit le bras. Les gens me prenaient toujours par le bras.

— Est-ce qu'on pourrait ne pas parler de toi, une seule petite seconde ? C'est difficile pour moi.

Elle prit une lime à ongles et commença à se limer les ongles, fraîchement vernis.

— Laisse-moi t'avouer une chose… Ça fait longtemps que je veux te le dire. Je ne savais juste pas comment.

— Longtemps ?

D'accord, j'étais fichue. Que peut-on répliquer, si « ça fait longtemps » ?

— Ouais, des semaines. Je suis désolée, Sophie, j'aurais dû tout simplement te le confier la première fois.

— Quelle première fois ? demandai-je.

— Quand on en a parlé la dernière fois, soupira-t-elle. Tu sais, mon adoption.

Madison commença à enlever son vernis à ongles frais. On aurait pu planer, tant les vapeurs étaient intenses dans sa chambre.

— Je t'ai menti, quand je t'ai dit que je n'ai jamais essayé de retrouver ma mère biologique. C'est ce que je voulais plus que tout au monde. J'ai rendu la vie impossible à maman.

Encore une forte odeur de dissolvant à ongles.

— Alors, grand-père a fait des recherches, et, il y a environ un an et demi, nous l'avons retracée. Nous lui avons envoyé une lettre pour lui demander si elle aimerait reprendre contact.

— Reprendre contact ?

— Ouais, en lui disant que moi, sa fille biologique, j'aimerais reprendre contact avec elle.

— Et... ?

— Et, dit Madison, dévastée, elle a refusé.

Les larmes coulaient, traçant des sillons dans son masque violet.

— C'était comme de me faire rejeter de nouveau.

J'aurais voulu faire un câlin à l'univers.

— Eh bien, merde, c'est juste ça qui te met dans cet état ?

— Sophie ! ! !

— Non, je veux dire... Ce que je veux dire, c'est... Premièrement, ce n'est pas être malhonnête — je veux dire, de ne pas le dire. Ce que je veux dire, c'est qu'il y a des secrets et les secrets, puis il y a des mensonges et les mensonges, tu sais. Tout le monde sait ça, et je vais avoir besoin que tu gardes ça bien en tête pour une future discussion.

Elle s'essuya le nez, étalant son masque partout.

— Bon sang, mais de quoi parles-*tu* ?

— Parfois, quelqu'un en a besoin, des mensonges, dis-je en lui passant un Kleenex. Je suppose, tu vois... Ce que je pense, c'est que parfois, un mensonge est un moyen de sauvegarder la vérité jusqu'à ce que tu sois capable d'y faire face ou que le monde autour de toi puisse la supporter.

— Ouah, lança-t-elle en me dévisageant, bouche bée. C'est plutôt intense, Soph.

— Ouais, eh bien, j'y ai beaucoup réfléchi. Maintenant, pour ce supposé rejet…

— Que connais-tu à ça, toi, le sentiment de rejet ?

Je ne pouvais pas croire que j'avais cette conversation-là avec cette personne-là.

— J'y ai aussi beaucoup pensé, dis-je. Tu vois, je ne suis pas exactement ce que tu penses que je…

— So-phie ! dit-elle dans un hoquet. Est-ce qu'on pourrait, hic, juste s'en tenir à moi et, hic, à ma crise, pour une fois ?

— Désolée.

Je m'approchai. Madison ne ressentait pas, de toute évidence, le même type d'euphorie que moi. Je le savais, parce qu'elle pleurait et hoquetait en même temps.

— Madison, arrête, cesse de croire ça. Tu *n'as pas* été rejetée. Elle ne te connaît pas assez pour te rejeter. Ce n'est pas du rejet. Je pourrais en dire beaucoup sur le rejet, mais apparemment on ne peut pas parler de moi.

Elle eut un hoquet encore plus fort.

— Madison, non, écoute, veux-tu encore voir ta… ? Euh, comment allons-nous l'appeler ?

— Ma mère, répondit-elle en reniflant.

— Mais ta mère, elle ?

— Maman.

— D'accord, alors honnêtement, au fond de toi, sans mentir, veux-tu encore voir ta, euh, mère ? Est-ce que c'est un genre de désir secret qui te flotte dans l'âme ?

Elle se moucha. Elle avait le visage défait.

— Ouais, c'est ça, exactement. Je ne l'aurais pas dit comme ça, mais c'est exactement ça. Juste une fois, tu comprends ? C'est tout ce que je veux. La voir juste une fois et... et... lui demander... pourquoi. Mais elle a refusé...

— Elle ne t'a même pas vue ! Seigneur, Madison, si jamais elle acceptait de te voir, elle fondrait tout de suite devant toi.

Elle joua encore de la trompette dans le Kleenex.

— D'accord, peut-être pas à la seconde, mais c'est quand même impossible de résister, devant une fille comme toi. Au fait, comment tes parents l'ont-ils retrouvée ? Je pensais que ce genre d'histoire était entouré du plus grand secret.

— Grand-père a joué de son influence, murmura-t-elle.

— Ça explique tout. Le juge lui a probablement fait vachement peur, avec ses démarches juridiques intimidantes. Si elle t'*avait vue* pour vrai, elle accepterait de te rencontrer.

Elle me fit un petit sourire maladroit.

— Tu penses ?

— Bien sûr ! répondis-je en lui faisant un câlin qui fit se mélanger nos masques. Je n'ai jamais connu personne pouvant susciter autant d'adoration que toi. Tes parents...

— Mes parents n'ont guère le choix que de m'adorer ; ils m'ont achetée, ou quelque chose comme ça.

— D'accord, alors toute l'école, *tous* les garçons, Kit, Sarah…, moi, tout le monde.

— Ouais ?

— Sans l'ombre d'un doute.

Elle haussa les épaules avec incertitude.

— Je crois que ça fait assez longtemps pour les toxines. Lavons-nous.

Elle ne croyait pas un mot de ce que je disais.

Je m'approchai du lavabo.

— Madison, qu'est-il arrivé de la lettre envoyée par ta famille ?

Madison cessa de se frotter le visage.

— Je ne sais pas. Elle n'a pas été brûlée, ni quelque chose de dramatique comme ça, si c'est ce que tu veux dire.

— Donc, elle est dans un dossier quelque part ?

— J'imagine. Qu'est-ce que tu… ?

— Est-ce que ton père l'aurait mise dans son bureau ?

Elle se mit à arpenter la pièce en dégouttant. C'est bien d'avoir une salle de bain assez grande pour pouvoir y faire les cent pas.

— Non, c'est grand-père qui a tout organisé. C'est probablement lui qui …

— Donc, elle est probablement quelque part dans son bureau, dans la bibliothèque ?

— Probablement, mais si…

Je l'attrapai par les épaules, les mains encore mouillées et tout.

— Veux-tu voir ta mère ?

— Je te l'ai dit, plus que tout au monde. Je ferais n'importe quoi.

Je mis mes mains autour de son visage visqueux.

— La lettre est ici, Madison, ne comprends-tu pas ? Ça veut dire que son adresse est ici. Nous n'avons qu'à nous introduire dans le bureau et à la trouver.

— Euuuuh, répondit-elle.

— Ouah, parfois, je me fais peur, tellement je suis bonne. Il suffit que ta mère te voie, te parle une minute, et elle tombera totalement et instantanément amoureuse de toi. Ça a dû être une épouvantable tragédie pour elle de devoir renoncer à toi. Nous allons trouver pourquoi, puis tu auras deux mères qui t'adoreront. Parfait ?

Elle me regardait comme si j'avais des cornes.

— Quand reviennent-ils tous ?

— Bon sang, je ne pense pas. Penses-tu… ? Je ne pense vraiment pas…

— Quand, Madison ?

— Pas avant le souper, dit-elle en regardant sa montre. Dans 20 minutes, une demi-heure, environ.

Je la pris par la main. Nous descendîmes en courant les deux étages jusqu'à la bibliothèque. Pendant des mois, j'avais évité cette pièce comme la peste, de peur qu'elle renferme mes secrets, et maintenant je m'y précipitais pour y trouver ceux de Madison. Celle-ci hésita devant la porte.

— Penses-tu vraiment que c'est bien ? Je ne sais pas, j'ai l'impression que...

— Bien sûr que c'est bien, nous n'allons rien voler. C'est ta vie, la vérité, que nous voulons connaître. Où penses-tu qu'il a mis cette lettre ? Il a un système de classement ?

— J'imagine que c'est correct, dit-elle en observant la pièce d'un regard incertain. C'est *mon* secret, après tout, et j'ai le droit... Après tout, c'est...

— Ouais, ouais, ouais, fis-je en claquant les doigts. Madison, reste ici avec moi, 20 minutes. Où sont les dossiers de ton grand-père ?

Elle s'appuya lourdement contre le cadre de porte.

— Je me sens un peu bizarre quant à tout ça. On devrait peut-être juste leur dire...

— Seigneur, Madison, ce n'est pas le moment d'agir en Blonde. C'est mon cadeau de Noël. Je n'ai jamais été aussi certaine de quelque chose de toute ma vie.

Elle entra finalement dans la bibliothèque et commença à pointer çà et là.

— Il y en a dans le pupitre, d'autres dans ce classeur, à l'extrême gauche, et d'autres cachés derrière le panneau tout juste derrière toi.

Je me rendis au pupitre et m'assis dans le gros fauteuil en cuir. Si j'étais le juge, où est-ce que je... ?

— Ça ne donnera rien, dit Madison en se rendant à la fenêtre, surveillant le moindre signe de vie dans la rue. J'ai vu certains de ces dossiers juridiques. C'est du charabia, du jargon ; même les titres des dossiers n'ont aucun sens. C'est inutile.

— Laisse-moi faire.

J'examinai le pupitre, la pièce. Il voudrait que ce soit en sûreté, mais accessible.

— Ce serait rangé par date d'origine, puis par ordre alphabétique.

Je fis le calcul dans ma tête.

— Tu as été adoptée en quelle année, 1961 ?

Je tirai le tiroir du pupitre. Non, ces dossiers étaient récents, il y travaillait en ce moment.

— Ouah, ouais, c'est logique. Comment as-tu… ?

Elle recommença à faire les cent pas, comme dans la salle de bain, s'arrêtant toutes les deux secondes pour jeter un coup d'œil par les fenêtres à carreaux. Marchant et observant tour à tour.

— Madison, arrête-toi. Tu me donnes mal au cœur. Comment dois-je faire, pour consulter le tiroir caché ?

— Bon Dieu, Sophie.

— Madison.

— Il me semble qu'il faut faire quelque chose au centre.

Je donnai un coup de pied au milieu. Rien. Je donnai un autre coup de pied, et un tiroir s'ouvrit comme par magie.

— Seigneur, Sophie, je n'arrive pas à y croire. Regarde, 1960, 1961, 1962. Comment fais-tu tout ça ? As-tu été cambrioleuse, dans une autre vie ?

— Plus tard.

J'étais penchée sur la section 1961, et Madison était penchée sur moi. Il y avait des dossiers de droit civil, des recours collectifs, puis un dossier avec seulement le nom d'une femme : RYDER, KATHY EDNA. Je le sortis et l'ouvris.

— Bingo !

— Oh... mon... Dieu. Je ne peux plus respirer.

Tout y était. L'acte de naissance, les papiers d'adoption, les rapports du travailleur social et une lettre non ouverte avec l'inscription « retourner à l'expéditeur », soit la lettre envoyée par le juge. Madison souffrait d'hyperventilation. L'adresse était la suivante : 306 Jarvis, appartement 611. Je la gravai dans ma mémoire. Je jetai un coup d'œil à ma montre : plus que cinq minutes. Je remis tout en place le mieux possible, de mes mains tremblantes, « 306 Jarvis, appartement 611, 306 Jarvis... ».

Je renversai pratiquement Madison en me relevant.

— Ça y est, c'est parti. Respire, Madison.

Elle fit signe que oui, mais se remit à avoir le hoquet.

— Ta mère s'appelle Kathy Ryder. Madison, veux-tu voir ta mère ?

— Ouais, mais... Seigneur !

— Je vais y aller avec toi, Madison. Veux-tu que j'y aille avec toi ?

— La voir ? Tu viendrais ? Ma mère ? Bon Dieu, oui !

Les portes de la voiture claquèrent. Nous trébuchâmes pratiquement l'une sur l'autre en nous précipitant dans la cuisine, faisant sursauter Fabi au passage.

— Il y a quelqu'un ? Chaton ?

Chaton ?

C'était le juge. Nous prîmes toutes deux une grande respiration.

— Dans la cuisine, grand-père. Sophie est ici aussi.

— Super, cria-t-il.

— Super, dis-je en frappant le bras de Madison. Ce sera tout simplement super. J'ai un très bon pressentiment.

— Ouais, fit-elle en hochant la tête, blanche comme un linge. Ouais, moi aussi.

Madison serrait mon bras si fort que je crus qu'elle allait me déchirer la peau. Nous faisions maintenant, depuis une demi-heure, des allers-retours incessants dans l'ascenseur de Bradshaw Arms.

— Madison.

Elle regardait fixement les numéros des étages.

— Madison, il faudra finir par sortir de cet ascenseur, ne serait-ce que parce que quelqu'un va finir par appeler la sécurité. Ou les policiers, ou je ne sais qui.

En fait, les propriétaires du 306 Jarvis ne semblaient pas pouvoir se payer un service de sécurité.

— Je ne peux pas. Je vais m'évanouir.

Réaction typique des Blondes. Elles s'évanouissent toutes pour un oui ou pour un non. Madison m'agrippa encore le bras et ajouta :

— Au moins, tu sais qui est ta mère.

C'est vrai. Maman, la femme qui, l'espace d'un instant, m'aime avec l'intensité d'une alerte d'incendie de niveau cinq et qui, l'instant suivant, ne me voit déjà plus. Sais-je vraiment qui elle est ?

— Relaxe, veux-tu ?

Je lui répétai ce que je lui répétais sans cesse depuis que nous nous étions rencontrées à la station de métro.

— Écoute, nous avons un plan de génie sans faille, même si c'est juste moi qui le dis. Ça m'a pris quatre jours, pour organiser parfaitement tous les détails. Elle ne saura pas qui tu es, et si nous l'aimons — je veux dire, si tu l'aimes —, nous pourrons... je veux dire, tu pourras revenir avec tous les tiens. C'est absolument infaillible, garanti.

Je la fis sortir de l'ascenseur, mais son visage avait l'air d'un bol de soupe aux pois.

— Euh, tu devrais peut-être remettre du brillant à lèvres, ou quelque chose comme ça.

— Ouais, tu as raison, dit-elle. Je crois que j'ai avalé les trois dernières couches.

Enfin arrivées devant la porte 611, nous dûmes pratiquer nos techniques de respiration profonde tellement longtemps que la porte s'ouvrit avant même que nous n'ayons eu le temps de frapper.

— Vous êtes les jeunes qui viennent pour le sondage ?

Madison, sur le point de défaillir, s'accrocha à moi.

— Oui, euh, mais, voyez-vous, il doit y avoir une erreur. Nous cherchons une dame Ryder.

— Il n'y a pas d'erreur, ma chère. C'est moi. Je veux bien répondre à votre sondage scolaire ou à votre truc semblable, mais pas dans le couloir, si vous voyez ce que je veux dire. Elle va bien ?

— Oh, oui, madame, répondis-je en soutenant Madison. Nous sommes sorties au mauvais étage et, euh, nous avons monté et descendu les marches et tout.

— Diable ! Eh bien, entrez et déshabillez-vous.

Madison grogna, tandis que la dame nous faisait signe d'entrer. J'essayai de me ressaisir et d'interpréter ce que Madison voyait. Je grognai à mon tour.

Madame Ryder, la mère biologique de Madison, devait avoir au moins 150 ans. Elle avait l'air d'un balai d'usine à la poubelle. Les quelques cheveux qu'il lui restait sur la tête avaient subi tant de traitements et de permanentes qu'ils se tenaient droits en touffes. Elle n'était que nerfs et rides. Comment Madison pouvait-elle être sortie de ça ?

Son appartement était typique du « un et demi » d'après-guerre. On pouvait tout voir du vestibule, et, de ce vestibule, on aurait dit que l'endroit n'avait pas encore été déballé. Une pellicule protectrice en plastique recouvrait tous les meubles et objets, jusqu'aux abat-jour. Même les tantes n'en faisaient pas autant.

— Asseyez-vous, asseyez-vous, siffla la dame.

Elle sifflait littéralement, en parlant.

— Allez, les jeunes.

Elle fit sortir son dentier du haut, puis le remit dans sa bouche.

Les genoux de Madison ramollirent.

— Tu es certaine qu'elle va bien ?

— Oui, madame, dis-je. Pourrions-nous vous demander de l'eau ?

— De l'eau ! grogna-t-elle. J'ai mis quelques Coke dans le congélateur, quand vous avez sonné à l'interphone. Avec tout le temps que vous avez mis pour monter, ils devraient maintenant être bien froids. Je n'ai pas beaucoup de compagnie, ces temps-ci, vous voyez ce que je veux dire ? Assoyez-vous les fesses. Je reviens tout de suite.

Madison se laissa plus ou moins tomber sur le sofa, qui éructa vigoureusement. Je m'assis plus doucement. Le tissu imprimé du sofa, sous le plastique, était à motifs de roses à cent feuilles multiples dans des tons que seule une personne sous l'effet de l'acide aurait pu apprécier. J'étais assez convaincue que ce n'était pas du tout dans la palette de couleurs de Madison, mais j'avais déjà vu ce genre d'horreur auparavant chez des Bulgares.

— Eh bien, tu dois admettre que tout est propre comme un sou neuf, murmurai-je à Madison, maintenant devenue catatonique.

C'était vrai. Tout dans l'appartement, sauf les cendriers, avait été enveloppé ou désinfecté. La fumée de cigarette ne pouvait même pas masquer l'odeur indéniable de Javex.

Madison gémit.

Madame Ryder revint dans la pièce, brandissant deux bouteilles de Coke, deux verres, deux sous-verres, un bol d'amuse-gueules salés, un paquet de Rothmans, un nouveau cendrier et un briquet.

— Laissez-moi vous aider.

Le sofa émit comme un soupir de soulagement, quand je me levai. Ou c'était peut-être Madison.

— Merci, jeune fille. Tu es… ?

— Sophie, répondis-je.

Je me mordis immédiatement la langue. J'étais censée être Janice Mitchell, de Central Tech.

— Sophie, répéta-t-elle en me souriant de son dentier nouvellement remis en place. Alors, un projet de géographie, hein ?

Elle avait décidément un je-ne-sais-quoi.

— Oui, madame. Merci, madame, pour les Coke et pour votre collaboration.

Je me rassis. Le sofa rota.

Madame Ryder lança un juron tout bas et dit ensuite :

— Veuillez excuser les meubles.

— Oh, ne vous en faites pas, répondis-je en secouant la tête. C'est, euh, très divertissant. En tout cas, oui, comme nous vous l'avons mentionné à l'interphone, nous considérons le Bradshaw Arms comme un modèle « dermabrasif » socio-économique d'une configuration d'hydratation urbaine à grande échelle.

Je jure que je ne sais pas d'où je sors ça.

— Les enfants, de nos jours !

Elle alluma une nouvelle cigarette à même le mégot de la précédente, tout en nous jetant un coup d'œil au travers de la fumée.

— Vous êtes tous plus intelligents que des whippets, vous savez ce que je veux dire. Ça doit être à cause de la télévision.

— C'est un média très puissant, acquiesçai-je.

— C'est ce que je disais. Vous voyez ce que je veux dire ?

D'accord, j'étais perdue.

Madame Ryder tira une bouffée particulièrement longue de sa cigarette.

— Tu me dis quelque chose. Je reconnais un regard, quand je le vois.

À l'aide de ses mains, elle cherchait maladroitement ses lunettes retenues par un cordon sur sa poitrine. Elle les mit et nous regarda.

— Et lorsque quelqu'un me dit quelque chose, je ne me trompe pas. Vous voyez ce que je veux dire ?

Seigneur Jésus ! J'étais en train de vivre une légende bulgare bien attestée de tous : la miraculeuse reconnaissance de la mère. Maman et les tantes avaient un plein placard de multiples adaptations de cette histoire tournant autour d'un bébé adoré qui se faisait enlever des bras bienveillants de sa pauvre mère pour être élevé par des gens snobs de la ville. Puis, des années plus tard, alors que la vraie mère, étendue par terre sous un saule, se meurt de chagrin, de la rage ou de quelque chose du genre, cette enfant devenue presque adulte trébuche pratiquement sur elle en passant par hasard devant l'arbre. La jeune fille ressent un lien d'une puissance inexplicable envers la vieille femme douce mais édentée, et lui professe son amour juste à temps, avant que sa vraie mère lui meure dans les bras. Hollywood en a fait une version intitulée *Madame X*, avec Lana Turner dans le rôle de la vieille Bulgare édentée. Et c'était en train de se produire, pratiquement mot pour mot, juste là, devant mes yeux ! Je suis bonne, non ?

— Comment t'appelles-tu, déjà ?

Le cœur de Madison battait si fort que je pouvais le sentir vibrer par les coussins recouverts de plastique.

Je pris la décision spontanée de jouer franc jeu, sans faux nom.

— Elle s'appelle Madison, Madison Chandler.

— Pas elle, dit madame Ryder en tapotant sa cigarette. Toi, ton nom de famille.

Ses yeux se plissèrent jusqu'à disparaître.

— Comme je l'ai dit, tu me dis quelque chose. Je sais que je t'ai déjà vue auparavant, ouais, il y a longtemps, j'en jurerais.

Eh bien, la situation allait en s'aggravant.

— Non, je crois que c'est impossible. Vous confondez peut-être. Mais si vous regardez bien Madison ici, il se pourrait…

— Non, dit-elle en expirant. C'est un don que j'ai, je n'oublie jamais un visage, peu importe à quel point il change. Tu vois ce que je veux dire ? Alors, quel est ton nom de famille ?

Doux Jésus, elle reconnaissait la mauvaise enfant !

— Je ne pense vraiment pas…

Elle continua à me dévisager sans cligner des yeux.

— Kandinsky, madame, comme le peintre. Sophie Kandinsky, vous voyez…

— C'est ça !

Elle tapa si fort des mains que Madison bondit du sofa.

— Kandinsky, Kingston !

Seigneur Jésus.

— C'est ça ! Le pénitencier de Kingston !

Mon cœur s'éteignit.

— Ce type, le poète.

Non.

— Tu es la fille du meurtrier !

Madison retomba lourdement sur le sofa.

— Ouais ! Comment aurais-je pu oublier ? Tu étais comme un saint ange. Tu faisais tes petites routines pour ton papa, tu chantais et dansais pour lui. Tu étais le seul élément de pureté véritable dans ce trou, incluant ma fille et moi.

— Fille ?

Était-ce Madison qui venait de prononcer ce mot ?

— Ouais, qu'elle repose en paix ! Ah, et puis, qui est-ce que j'essaie de leurrer, ici ? Je déteste les menteurs. Kathy ne reposera pas en paix. Elle était une ratée, et une fois par mois pendant trois ans, je suis allée la reconduire auprès de son ordure de petit ami. Au moins, là-bas, il ne pouvait pas la battre.

Elle se tourna vers moi.

— Chérie, ne fais pas cet air-là. Tu étais tellement étincelante. Une aura de fée t'entourait, ma chère. Je ne sais pas ce que ton père en pensait, mais vous étiez un véritable rayon de soleil pour le reste des visiteurs, toi et ta jolie maman.

— Fille ? dit Madison, s'agrippant au coussin de plastique.

Ma tête explosa. J'avais juste voulu faire quelque chose de gentil. Mais je ne suis pas aussi gentille que j'aimerais bien l'être. Je ne pense pas assez aux autres. Je pense à moi, et mes histoires prennent toujours trop de place. J'avais *voulu* être gentille, j'avais voulu faire quelque chose de *gentil*. Pour Madison.

Je ne pouvais plus voir ni Madison, ni madame Ryder, ni rien, mis à part les fleurs orange et roses du sofa. Les roses remplissaient l'appartement et cachaient tout le reste. Il n'y avait plus de place. Je regardai aveuglément en direction de Madison.

— Je suis siiii… désolée.

— Tu n'as pas à être désolée, ma chère. Comme je l'ai dit, toi, tu étais ce doux petit ange dans ce merdier.

J'essayai d'attraper Madison, sans réussir.

— J'allais te le dire, je te le jure.

Je me levai trop vite. La pièce tourna sur elle-même.

— J'ai essayé de te le dire, genre, mais… ne t'inquiète pas.

Je me dirigeai vers la porte.

— Je ne… Ça va, tu n'as pas à… Je ne te dérangerai plus.

Je réussis, sans savoir comment, à atteindre la porte de l'appartement 611.

— Je te le promets, Madison.

J'ouvris la porte d'un coup sec.

— Jamais.

— Fille ? redit Madison.

Je ne me souviens pas d'être rentrée chez moi. Je me rappelle seulement le miroir. Sophie était dans le miroir de papa, ce qui signifie forcément que *j'*étais devant.

Comment m'étais-je retrouvée là ?

J'avais dû prendre le métro. Je l'avais du moins pris pour me rendre à Bradshaw Arms, parce que Madison et moi nous étions rencontrées devant la station Wellesley. Je me souviens de cette partie-là. Je me souvenais de tout le truc des roses à cent feuilles, de madame Ryder et de papa, et puis…

Plus grand-chose.

Je me regardai m'efforcer de me souvenir, mais c'était comme grimper dans du Jell-O. Je remontais un peu, puis je glissais ou m'enfonçais. Je ne me souvenais pas d'être rentrée, et c'était ce qui me hantait le plus. Je voulais m'en souvenir. J'avais pris le métro à la station Wellesley, aux murs gris, ouais. Je la vois. Je me vois la voir. De Wellesley à la station Bloor Street, aux murs jaune criard. De Bloor à Rosedale, aux murs vert morve, puis à Summerhill, aux murs gris-est-ce-vraiment-du-gris, et finalement à St. Clair. Ma station. J'étais descendue à St. Clair, ouais.

Sauf que non, je n'étais pas descendue.

Ce fut le vert gai de Davisville suivi du gris terne d'Eglinton, puis Lawrence, retour sur Eglinton, Davisville, encore St. Clair, puis Wellesley, College, Dundas, plus loin encore, et ainsi de suite. C'est ce que j'avais fait. J'avais parcouru la ligne de métro dans les deux sens. Encore et encore. J'étais en sûreté, dans le métro. Tant que je resterais dans ce kaléidoscope hermétiquement scellé, tout irait bien. Rien ne pourrait m'atteindre.

J'avais dû descendre, cependant, parce que je me voyais me souvenir, sauf que je ne pouvais pas me souvenir de l'étape suivante, celle où Sophie sort du métro et arrive devant le miroir de son père. Mon miroir.

Nous étions arrivées à l'immeuble Bradshaw tôt en après-midi. Il faisait maintenant noir. J'allumai toutes les lumières en arrivant chez moi, même les toutes petites sous les armoires de cuisine, celles qui illuminent les rôties le matin. Maman n'était pas là. Elle était chez tante Eva, à se faire raconter la romance de tante Luba. Je me souviens de tout ça. Mais de me tenir devant mon miroir avec mon ballon de basket..., seigneur, comment en étais-je arrivée là ?

À la station Lawrence, j'avais compris. Papa avait raison, après tout, mais voilà, je ne m'étais jamais blindée, malgré les conseils qu'il avait essayé de me donner. Je n'avais même jamais fait d'efforts, pas vraiment. « Assure-toi d'avoir un très bon jeu de jambes. Attaque pour prévenir l'attaque, Sophie. » Mais je ne l'avais pas fait. Je grimaçai, me souvenant de maman et moi au souper chez Madison. Ses parents nous avaient aimées. Ils m'avaient aimée, *moi*. Et ça me suffisait pour être heureuse ?

Pathétique.

Station Bloor, la deuxième ou la troisième fois, des bribes de souvenirs me revenaient en tête — au resto Chez Mike, Madison qui verse du café, notre premier entraînement, notre première partie, tous ces samedis matins. « Je n'ai jamais rencontré personne... d'aussi vrai que toi. » Sarah qui me fait un câlin, Kit qui me donne une claque sur la tête et qui me fait sentir si...

Station College, papa en mourrait. « Ne les laisse pas voir. Tiens tes cartes contre ta poitrine, princesse. »

À Rosedale, la troisième fois, j'étais au supplice. J'étais trop accommodante. « Feinte à gauche, va à droite. Fais toujours semblant. »

Eglinton. Est-ce que je pleurais ? « Ne prends rien à cœur, Sophie. Ça va te perdre. Au fond, il n'y a que toi et moi, princesse. » Kit qui dégueulait aux toilettes. Qu'est-ce qu'il voulait dire par « au fond » ? Je n'avais jamais vraiment compris, et maintenant ça me tuait.

St. Clair, la dernière fois. Je pleure toutes les larmes de mon corps, les gens me regardent. « Ne les laisse jamais, jamais savoir que tu te soucies. » Madison et moi à des centaines d'endroits, à fumer en cachette, à fouiller dans des dossiers, à nous faire des masques de boue.

Je jure que durant toutes ces années où j'avais les paroles de papa brodées dans l'âme, je ne savais pas ce que ces mots signifiaient. Pas vraiment — je faisais juste semblant, et parfois je me faisais croire que je le savais. Mais ce n'était pas le cas. Maintenant, je comprenais, mais il était trop tard.

C'était pire, cette fois-ci, bien pire. Pire que la première fois à Parkdale. Pire que la nuit dans le placard. J'avais un jour décidé que j'allais être forte, cool et maître de la situation. Celle qui se sert, pas celle dont on se sert.

Puis, juste parce qu'ils m'avaient aimée…

J'étais trop stupide pour être la princesse de qui que ce soit.

Un agent du réseau de transport, un véritable colosse, se tenait devant moi. Il portait son uniforme de la Toronto Transit Commission, marron de la tête aux pieds, un peu semblable à celui de l'Armée du Salut, mais en plus misérable.

— Avez-vous besoin d'aide, mademoiselle ?

Je pense avoir fait signe que non, mais je pleurais si fort que je n'arrivais pas à prononcer le moindre mot. Le reste des passagers faisaient de leur mieux pour ne pas tendre le cou. Ils enregistraient le moindre de mes sanglots, tout en rapprochant leurs sacs d'emplettes et leurs mallettes de leur poitrine.

— Où descends-tu ?

Sa radio grésillait, ce qui m'effraya tant, inexplicablement, que je cessai de pleurer. Allait-il me traîner jusqu'à la prison de transit ? Nous arrivions à Davisville.

— C'est ici, dis-je.

Je me levai d'un bond et sortis du wagon en courant. Je m'enfuis, voulant échapper à ces « Hé, la jeune, arrête ! ». Je continuai à courir. C'est ce que font les ratés.

Je courus sans m'arrêter jusque chez moi. Je me souvenais. Je devais courir jusqu'à mon miroir. J'allai d'abord à la salle de bain, je me rappelle. Puis, j'avais dû ramasser mon ballon, à un certain moment, parce que je regardais, en driblant, Sophie se souvenir. *Un bond, deux bonds.* Madame Leonard du 1636, au-dessous, se plaindrait. *Un bond, deux bonds.* Ça n'avait plus d'importance. Je gaspillais du précieux oxygène. Sophie me regarda la regarder. Je reculai de cinq pas. Le téléphone sonna. Il sonnait peut-être déjà depuis un certain temps, mais maintenant la sonnerie déchirait l'appartement ; elle exigeait qu'on lui prête attention. Ce n'était pas maman. Elle pensait que j'étais chez Madison pour la soirée.

Madison.

La sonnerie s'arrêta et reprit. Chaque coup me faisait sursauter.

J'allais être la risée de tous.

Six écoles. Je n'étais pas d'attaque pour une septième.

Les rires avaient probablement déjà commencé.

La sonnerie s'arrêta. Le silence était trop lourd. Puis, elle reprit, encore plus stridente qu'avant. Ce serait toujours comme ça. Comme dans toutes les autres écoles. Il n'y avait pas de lancer magique, pas de défense, pas de point. Sophie m'observait, pendant que je faisais tourner mon ballon sur la pointe de mes doigts. Je pris position pour une passe rapide franche.

Si j'atteignais Sophie dans ce miroir, la sonnerie s'arrêterait.

Sophie éclaterait, s'échapperait de sa misère. Le plancher serait recouvert d'étoiles scintillantes. Ce serait magnifique. Je prendrais une de ces étoiles étincelantes, la frotterais sur mes poignets, me laisserais entraîner dans la magie, et la princesse de papa ne ferait plus jamais de mal.

Je regardai Sophie me regarder, tandis que je prenais le ballon pour exécuter le lancer.

Elle le savait. Elle ne me croyait pas non plus.

On n'apprend pas à un vieux singe à faire la grimace.

Je ne pouvais pas détruire le miroir de papa. C'était vraiment nul. Je l'aimais trop. Je regardai le ballon me glisser des mains et rouler paresseusement vers la porte, s'échappant de la chambre. Il ne voulait pas être témoin de ce qui allait suivre.

Sophie, si. Je m'agenouillai pour prendre la bouteille de pilules à mes pieds. Je regardai ma montre pour connaître l'heure de ma mort : 22 h 23. On dit que notre montre s'arrête, quand on meurt. Cette affirmation, je ne l'ai jamais comprise. J'inspirai et je portai un toast à Sophie, « živili ». Elle me regarda verser les pilules dans ma main, puis avaler, avaler et avaler…

Le téléphone n'arrêtait pas de sonner.

Bon, eh bien…, il faut apparemment plus que cinq Tylenol à saveur de cerise pour enfants, pour réussir son suicide.

Je suppose que d'une certaine manière, je le savais déjà.

Et peu importe ce que dit tante Luba, on ne peut pas non plus « se suicider à morrrt » dans les pleurs. Donc, malgré tous mes efforts, j'étais encore là, bien réveillée et vivante à 5 h 15 du matin. Je me rendis à la salle de bain, les jambes molles, réellement soulagée.

Après une participation à un championnat de larmes, il ne reste au corps que de petits sanglots secs qui le secouent de temps à autre, comme les répliques d'un tremblement de terre. Ils ne sont pas énormes ni impressionnants, mais ils sont assurément mesurables à l'échelle de Richter du corps.

Je n'aurais pas dû ouvrir la lumière. Ma tête avait sept fois sa taille normale, et mes yeux n'étaient plus que deux fentes sur mon visage. Et, ah oui, mes oreilles sifflaient. J'étais peut-être devenue sourde. Je ne pouvais pas vraiment en être sûre, car à 5 h 15 il n'y avait pas beaucoup de bruit pour me permettre de tirer une conclusion définitive, mais j'avais l'impression de ne pas m'entendre me brosser les dents aussi bien que d'habitude.

Donc, j'avais fait pipi, je m'étais lavée, changée, peigné les cheveux, et il était maintenant 5 h 25. Qu'allais-je faire, là, tout de suite ? L'appartement était silencieux comme une tombe, et pourtant je ne tenais plus en place. Je fis les cent pas dans la cuisine, aux prises avec le hoquet, les sifflements d'oreille, les élancements au visage et les frissons généralisés. Il fait froid, à 5 h 25 du matin. J'avais besoin d'air. Je devais sortir. Presque rendue à la porte de l'appartement, je revins sur la pointe des pieds et j'ouvris la porte de chambre de maman. Grâce au rayon de lumière provenant de la cuisine, je pus la voir profondément endormie au milieu d'annonces du Service inter-agences, de livres de développement personnel et de mon certificat de joueuse la plus utile. La honte et le soulagement se disputaient la place dans mon cœur en proie au hoquet.

Je retournai dans la cuisine et arrachai une page d'un bloc-notes.

Chère maman,

Je ne suis pas allée coucher chez Madison, finalement. Je t'expliquerai plus tard. Mais tout va bien, très bien, ça ne pourrait pas aller mieux. Je pars courir, et ensuite, peut-être, j'irai à l'église catholique d'il y a deux déménagements, puis, peut-être, j'irai à la bibliothèque, alors je rentrerai peut-être très tard. À plus tard.

Je t'aime,

Moi

Je me demandai si je devais ajouter « ne t'inquiète pas », mais, en théorie, si elle n'avait pas à s'inquiéter, pourquoi lui écrirais-je de ne pas le faire ? Quand quelqu'un nous dit de ne pas nous inquiéter, notre premier réflexe est de faire le contraire. D'un autre côté, ç'aurait été gentil. J'hésitai jusqu'à 5 h 47, puis je décidai de laisser tomber.

Bon, dans quelle direction devais-je aller ? Dehors, il faisait noir comme dans la gueule d'un loup. Je devais peut-être prendre l'autobus. L'autobus. Voilà. La gare d'autobus ! Je n'y étais pas allée depuis des mois. Le seul endroit au monde, dans des situations comme celle que je vivais.

Ouais.

Tous ces ratés pathétiques s'y trouvent.

Ouais.

Ils me feraient me sentir mieux. Au moins, je ne fais pas partie de leur nombre.

Ouais.

Et peut-être que je m'achèterais un billet et tout. En plein ça. C'était l'occasion rêvée d'aller visiter papa. Et peut-être que je lui raconterais comment sa princesse se débrouillait avec ses futés conseils bizarroïdes.

Ouais.

Et pendant que j'y étais, ouais, je pourrais aussi le lui dire, pour maman. Certainement. Je le regarderais directement dans les yeux et lui dirais de lâcher prise, de réduire son emprise sur elle. Et peut-être même de divorcer.

Ouais.

Je lui dirais que maman est encore jeune, quand même assez, et qu'il en a encore pour au moins 20 ans à l'ombre. Et qu'il pourrait faire quelque chose de décent, pour une fois.

Ouais.

Bon, d'accord, non, je ne pourrais absolument pas. Mais peut-être que je pourrais aborder la question des appels, lui dire qu'elle en reste secouée durant des jours. Je pourrais faire ça. Je pourrais, et ce serait vraiment quelque chose de décent, de *gentil*.

Il faisait froid. J'étais debout depuis 20 minutes à l'arrêt d'autobus, quand je me rendis compte que le service du dimanche ne débutait pas avant 7 h. Je courus. J'avais écrit à maman que j'allais courir, alors je courus. Il n'y avait toujours personne dans les rues, et tout ce que je pouvais entendre au-delà de mon sifflement dans les oreilles était mes pieds qui frappaient le trottoir au rythme de ma respiration.

Même à 6 h 47, il y avait déjà des gens, à la gare d'autobus. Celle-ci, le jour de Noël, ne se ressemble en rien, à comparer aux autres jours de l'année. J'avais oublié ce détail. Ce ne sont pas les décorations. Ce sont les gens. Ce sont eux qui font office de décorations. Ils étaient pétillants. Ils avaient tous l'air de rentrer chez eux pour fêter la Noël dans leurs villes, leurs villages et leurs fermes. Certains n'étaient venus à Toronto que pour un marathon d'achats et de visites. Ils portaient de joyeux sacs énormes pleins de cadeaux emballés dans les magasins. Les grosses boules jaunes qui pendaient du plafond coloraient toutes les surfaces et tous les épidermes.

L'obscurité du ciel à cette heure matinale ne se faisait sentir qu'à l'extérieur.

Ma gare d'autobus était chaleureuse et citronnée à l'intérieur.

Tandis que je me tenais en ligne pour acheter mes billets, mon estomac gargouilla, alléché par le parfum de la cuisson des oignons, des saucisses et des œufs. Le comptoir des commandes à emporter était ouvert. Je comptai cupidement ma monnaie, après avoir acheté les billets et mis de côté l'argent pour un aller-retour en taxi. Je pouvais à peine me permettre un café. Je commandai un café noir avec quatre sachets de sucre. Mais quand donc avais-je commencé à aimer le café ?

— Autre chose ?

— Non, merci, juste un café. S'il vous plaît.

Il regarda derrière moi, puis son regard se posa sur moi.

— T'as l'air de quelqu'un qui mangerait bien quelque chose. Un sandwich à la saucisse ?

— Non, dis-je, mon estomac criant famine. Non, ça va, seulement un café, merci.

Il grogna, enveloppa quatre morceaux de rôties dans du papier ciré et me tendit mon café.

— Mais…

Il grogna, quand j'essayai de le remercier.

Mon autobus ne partait qu'à 9 h, alors je m'installai avec mes rôties et mon café sur le banc près du kiosque à journaux. De petits enfants lâchaient sans cesse les doigts de leur mère pour se balader, en titubant, un peu partout dans la gare, s'arrêtant de temps à autre pour me faire un sourire complice. Lorsqu'ils tombaient, vêtus de leur habit de neige, c'était comme si un sac de pommes de terre se renversait. Personne ne pleurait. Leur mère les remettait sur pied, et ils repartaient. J'en étais hypnotisée. Ils formèrent vite un petit groupe serré qui se mit à tournoyer çà et là. Ils poussaient de petits cris, tout à leur joie de courir. Un petit garçon potelé, qui avait l'air d'un bouddha miniature souriant, se cogna contre les jambes d'une cliente. Il fit un câlin aux bottes de cette dernière et il repartit. Les bottes étaient vraiment chic, chères, peut-être des Charles Jourdan, du genre qu'on ne voit habituellement pas dans une gare d'autobus. La propriétaire de ces bottes s'arrêta.

— Sophie ?

Du vrai cuir, ça se voyait.

— Sophie, ça va ?

C'était drôle d'entendre qu'une autre personne dans la gare s'appelait…

— Sophie !

Je levai les yeux. Madison. Les bottes… Madison Chandler était dans ma gare d'autobus ?

— Madison ? Comment ?

Je me levai.

— Pourquoi es-tu… ? commençai-je en me pointant la tête. Parle plus fort, j'ai un sifflement dans les oreilles. Madison ?

— Oh, Sophie, dit-elle en me faisant un câlin et en me secouant simultanément. Grrr ! Je te tuerais, si je ne me retenais pas !

— Eh bien, il faudra que tu fasses la queue. Ce n'est pas aussi facile que tu pourrais le croire.

— Quoi ? Peu importe. J'ai appelé, appelé et appelé.

— C'était toi ?

— J'ai appelé de chez moi, de chez Edna quand nous sommes tous retournés chez elle, et de chez moi encore.

— Edna ? Vous y êtes *tous* retournés ? Chez madame Ryder ?

— Bien sûr. Mon Dieu, Sophie, peux-tu imaginer ça ? Maman, papa, grand-père, ils voulaient tous rencontrer ma grand-mère. *Grand-mère*, Sophie. Edna Ryder, ma grand-mère.

Elle recommença à me remuer avec force. À un certain moment, pendant qu'elle me secouait comme un prunier, mes oreilles cessèrent de siffler.

— Je ne pensais pas qu'on pouvait pleurer autant de larmes.

— Veux-tu parier ?

— Elle ne savait pas que j'existais. Pas du tout. Apparemment, je serais née quand sa fille s'est enfuie la première fois. Elles ont perdu contact durant quelques années. Mon Dieu, Sophie, ma mère avait presque le même âge que moi, quand elle m'a eue. Peux-tu croire ça ?

Madison flottait.

— En tout cas, Edna était complètement folle de joie d'apprendre mon existence. Quant à maman et à papa, eh bien, tu peux l'imaginer, c'était comme le meilleur scénario possible…, et tout ça grâce à toi, Sophie. Sophie, comprends-tu ça ? Elle veut que tu ailles la voir tout de suite pour te remercier. Elle dit que tu as été son ange. Et grand-père aussi — du moins, après avoir digéré le fait que nous avions fouillé dans ses dossiers. Il se sent vraiment coupable de ne pas avoir, euh…

Elle fit une pause pour se rappeler ses mots exacts.

— … « assuré un suivi aussi énergique que ma fougueuse petite amie ».

— Fougueuse ? Il a dit « fougueuse » ?

— Ouais, c'est ce qu'il a dit. Quel est le problème ? Il n'est pas fâché, je te le jure.

— Madison, le leur as-tu dit ?

Je regardai les enfants, qui couraient en cercle sans s'arrêter. Ou était-ce le contraire ? Étaient-ils immobiles, et c'était la pièce qui tournait en spirale autour d'eux ?

— Quoi ? Si je leur ai dit quoi ?

— Leur as-tu dit que ta fougueuse petite amie était la fille d'un meurtrier ?

— Oh, fit-elle en s'assoyant. Oh, ça.

— Ouais, oh, ça.

— Sophie, assieds-toi.

Ça y est, nous allions aborder la chose. Je m'assis.

— Eh bien, en fait… en fait, grand-père l'a presque toujours su.

— Il le savait ! lançai-je en me relevant. Ton *grand-père* savait que mon père est en prison à Kingston pour homicide !

Elle fit signe que oui.

— Papa aussi.

— Pas vrai ? Depuis quand ? Je ne te crois pas.

Elle me tira pour me faire rasseoir.

— Depuis presque le début, apparemment. Voyons, Sophie, papa est professeur de droit et il est au courant de presque tous les procès couverts dans les journaux, et grand-père est juge en exercice.

Si je n'avais pas déjà versé toutes les larmes de l'univers la nuit précédente, je me serais mise à pleurer tout de suite.

— Et toi ?

Madison secoua la tête.

— Pas avant hier, je te le jure. En fait, je ne l'ai pas vraiment compris, jusqu'à ce que nous retournions tous ensemble chez Edna.

— Ils le savaient et ils t'ont quand même laissée me fréquenter ? Je suis pratiquement criminelle, menteuse, certainement un imposteur, et papa…

— Qu'est-ce que je vais faire de toi ? grogna-t-elle. Ils pensent tous les deux que la peine convenue était tout à fait ridicule. Papa affirme que ton père aurait dû n'avoir que quelques années au maximum, voire rien du tout, et, maintenant que ce n'est plus un secret, il veut en parler avec ta mère. Grand-père est à peu près de son avis, juste un peu moins enthousiaste. J'ai la conviction que c'est seulement parce qu'il a un faible pour ta mère.

L'étrangeté de la situation me laissait bouche bée. Je pris deux ou trois grandes respirations.

— Madison, je t'ai menti. Je vous ai tous menti. Mon père n'est pas tragiquement mort de…

Bon, vu le stress, j'avais oublié de quoi nous l'avions fait passer pour mort.

— Peu importe. Il est en prison à Kingston avec… d'autres prisonniers. Comment peux-tu ne pas me détester ?

Madison avait l'air de s'être fait frapper par une auto.

— Comment… peux-tu dire une chose pareille ? Comment peux-tu penser ça de moi ? Tu es mon *amie*, Sophie.

Sa voix se brisa.

— Comment ?

J'avais peut-être hurlé. Le vendeur du kiosque à journaux s'étira pour nous dévisager.

— Comment ? Parce que c'est ce qui se passe quand tout le monde l'apprend, si tu veux savoir. Northern est ma sixième école, Madison. Avant Northern, je suis allée à cinq stupides écoles en six ans, parce que ça tournait au désastre quand les autres l'apprenaient. Tout le monde est comme ça !

— Eh bien, je ne suis pas tout le monde !

Elle, elle hurlait.

— Et Kit non plus, et Sarah non plus.

— Seigneur Jésus, le savent-elles ?

— Bien sûr que non, dit-elle en reniflant. Elles ne savent même pas que je suis une enfant adoptée, tu te souviens ? On s'occupera de ça plus tard. Ouah, ça va faire toute une séance de Vérité ou conséquence.

Elle s'appuya lourdement contre le mur.

J'essayai de digérer le tout.

— Ouais, dis-je finalement.

— Ouais, fit-elle.

— Un jour, dis-je.

— Ouais, un de ces quatre, dit-elle. Peut-être.

Nous expirâmes toutes les deux.

— Tu es sûre que tu ne me détestes pas ?

Elle me regarda comme si j'avais deux têtes.

— Arrête ça, Sophie. Comment le pourrais-je ? Tu es tout à fait, si incroyablement… tu es tant… et il y a ta mère, tes tantes, et même ton père ! Tu as trouvé ma grand-mère, pour l'amour de Dieu ! Elle est la vieille dame la plus heureuse sur terre grâce à toi, parce que tu voulais que je me sente plus en paix. Qui ferait ça ? Qui ?

Elle me serra le bras, fortement. Il faudrait peut-être que je lui fasse savoir un jour que ça me fait mal.

— Bon sang, Sophie, toute ta vie…, c'est comme un opéra, ou quelque chose du genre. Et quand je suis avec toi, c'est comme s'il y avait de l'opéra en moi.

— C'est bon, ça ?

— C'est excellent ! Je ne suis pas que blonde. Tu me fais canaliser cette mystérieuse femme aux cheveux de jais en moi. Que demander de plus, dis-moi ?

J'allais certainement me convertir au catholicisme. J'avais agi en catholique depuis des mois, et le Bon Dieu catholique m'avait écoutée. Il m'avait amené Madison. Mais, après tout, je méritais peut-être simplement de rencontrer Madison.

— Allons-y, alors, dit-elle en me tirant le bras. Nous allons rencontrer mes parents chez Edna pour le brunch.

— Non, pas aujourd'hui, refusai-je en secouant la tête. Non, vous avez beaucoup de retard à rattraper, toute ta famille, toute votre histoire. Et, euh…, je ne suis pas allée voir papa depuis presque trois ans. Je suis toujours sur le point de le faire, mais ça n'aboutit jamais. C'est le moment, tout particulièrement maintenant.

— Veux-tu que j'y aille avec toi ?

— Veux-tu bien arrêter d'être tellement *toi* ? C'est insupportable. Non, ça va.

— En es-tu sûre ? Je pourrais attendre à l'entrée, ou quelque chose comme ça.

— Madison, ce n'est pas un hôtel *Four Seasons*. Une autre fois. Peut-être.

— Bon, fit-elle en mettant les mains dans ses poches. D'accord, mais est-ce que ça va ?

— Tu blagues, non ? J'ai peur, tellement je vais bien. Je ne sais pas comment gérer le fait d'aller si bien. Je vais si bien que je suis inconsciente, je vais si…

— D'accord, d'accord, j'ai compris, m'interrompit-elle en regardant sa montre. Je dois prendre un taxi. Appelle-moi ce soir, promis, après avoir…

Je me demandai si Madison avait déjà voyagé en transport en commun.

— Promis.

— D'accord, bon, euh, bonne chance avec… eh bien, avec…

— Ouais.

— Ouais, bonne chance.

Elle ne bougea pas.

— Ouais.

Ça pourrait ne jamais s'arrêter.

— Ça va, Madison. Vas-y.

— Ouais.

Je regardai ses bottes s'éloigner. Puis, soudain :

— Hé, Madison ! hurlai-je.

Elle se retourna.

— Comment as-tu su où me trouver ?

Je ne pouvais pas l'entendre clairement. La réponse sonna comme « ta mère ».

— Quoi ? hurlai-je.

Elle fit un pas vers moi.

— Ta mère. Je lui ai parlé ce matin en disant que c'était une question de vie ou de mort, et elle a dit que tu serais probablement à la gare d'autobus.

— Maman ? hurlai-je. Comment est-ce que maman… ?

Le vendeur de journaux faillit sortir de son kiosque.

Madison sourit et haussa les épaules à mi-chemin dans la gare.

— Elle dit que tu viens toujours ici quand tu es vraiment bouleversée ou nerveuse.

Puis, Madison fit un signe de main et quitta ma gare d'autobus.

Maman ? Tout ce temps-là ? Je me retournai vers l'énorme horloge au-dessus de la billetterie : 8 h 5. Sans l'ombre d'un doute, tout est possible, dans une gare d'autobus.

Je regardai ma tasse vide. J'avais bu mon café sans même me souvenir d'avoir pris une seule gorgée. C'était sûrement ce qu'on appelle être « perdu dans ses pensées », comme ils disent dans les livres. Paisible, effectivement perdue dans mes pensées, j'étais donc maintenant assise près de la fenêtre, dans l'autobus en partance pour Kingston, lorsque j'entendis : « Est-ce que la place est prise, ma chère ? »

Une dame Crabtree & Evelyn, sans l'ombre d'un doute.

Un manteau en tweed rouge avec collet en peau de mouton frisé, une broche en or en forme de sapin de Noël à l'épaule gauche, les cheveux mauves, et l'odeur indéniable du *Gardenia*.

— Euh, non, madame. Tenez, laissez-moi vous aider avec vos paquets.

Je me levai d'un bond et plaçai ses sacs d'emplettes dans le porte-bagages au-dessus de nos sièges. Debout, j'avais une bonne vue d'ensemble de l'intérieur de l'autobus.

Il était presque vide.

Elle aurait pu s'asseoir n'importe où.

— Ce n'était pas nécessaire. Merci, ma chère, dit-elle en me faisant un sourire bien maquillé. Je m'appelle Gladys Pink.

Incroyable.

— Tu peux m'appeler « Gladdy ».

— Oh, je ne sais pas si je...

Elle pinça les lèvres.

— D'accord. Merci, madame, euh, Gladdy. Je m'appelle...

Bon, comment devais-je m'appeler ? Megan, Kaitlin, Wendy ?

— Sophie Kandinsky, enchantée.

C'était sorti. Trop tard. Je ne pourrais plus me rattraper. J'avais un vrai problème de gestion des pseudonymes, ces derniers temps.

L'autobus démarra. Gladdy avait passé la fin de semaine à Toronto avec sa meilleure amie, Mary Marshall. Elles avaient frénétiquement parcouru les magasins et s'étaient même permis d'aller siroter des boissons chaudes médicinales chez *Diana Sweets* le vendredi *et* le samedi après-midi. Gladdy s'était fait forcer la main par une de ces vendeuses enragées pour acheter une blouse couleur moutarde, et elle savait qu'elle finirait par retourner le vêtement lors de son prochain voyage.

— Et toi, ma chère ? Vas-tu visiter quelqu'un à l'université ?

C'était simple comme bonjour.

— Non, madame, au pénitencier.

Seigneur Jésus, ça sortait d'où ? Il y eut un silence des deux côtés. Elle était peut-être en état de choc.

— Ouais, la prison.

Dieu sait que je ne peux pas supporter le silence plus de deux secondes consécutives.

— Mon père purge une peine à vie sans possibilité de libération avant 20 ans pour homicide involontaire aggravé, mais dans l'ensemble, il est plutôt innocent.

Qu'est-ce que je disais là ?

— Ma meilleure amie, une Blonde en chair et en os, en tout cas..., sa famille déborde d'avocats et de juges, et ils essaient de voir ce qu'ils peuvent faire à ce sujet, au moment où on se parle. Quoi qu'il en soit, le pire dans tout ça, probablement, indéniablement, c'est que je n'ai pas vu papa depuis quelques années et que je ne lui ai pas parlé ni écrit, même si je monte toujours à bord de ce stupide autobus pour faire finalement demi-tour. Vous voyez ?

Gladdy était pétrifiée. J'aurais bien pris son pouls, mais ça l'aurait peut-être inquiétée, car je continuais à bafouiller comme une maniaque.

— Mais la vraie nouvelle, cette fois-ci, par rapport à ma dernière tentative de visite en autobus, c'est que les Blondes ne sont pas aussi blondes qu'on pourrait le croire. C'est un pas vers l'avant, n'est-ce pas, cette question des blondes ? Désolée, êtes-vous… étiez-vous blonde, Gladdy ?

Gladdy se tapota les cheveux, confuse.

— Eh bien, oui, je l'ai parfois été…

— Dans ce cas, vous savez exactement ce que je veux dire. Être blonde à l'extérieur ne vous rend pas blonde à l'intérieur, du moins pas autant que je le pensais. Ce que je veux dire, c'est que vous avez, vous aussi, votre part de problèmes. Du moins, *mes* Blondes en ont.

Gladdy avait l'air de vouloir descendre de l'autobus. Je lui tapotai le bras.

— Oh, ce n'est rien, à côté de mes problèmes. Je comprends ça, j'en ai beaucoup, mais ça demeure quand même des problèmes, n'est-ce pas ?

Ses yeux s'écarquillèrent.

Je n'étais plus capable de me retenir. Je savais que je devais mordre ma veste de ski et me la fermer. J'essayai de regarder par la fenêtre. Nous approchions de Port Hope.

— Port Hope, c'est bien ; tout comme votre parfum, d'ailleurs. *Gardenia*, non ? C'est mon préféré depuis toujours. Je me demande si Luke aimerait le *Gardenia*. Pas que je sorte avec Luke. Pas encore.

Seigneur, et quoi ensuite ?

— *Gardenia* me fait toujours croire — je ne sais pas — que tout est possible.

Gladdy se secoua. J'étais convaincue qu'elle demanderait de changer de siège. Elle se tourna plutôt vers moi pour que nous soyons face à face.

— Ma chère, je ne pourrais prétendre bien saisir ce que tu as pu vivre avec ton père dans...

— Ouais, eh bien, dis-je en lui tapotant le bras de nouveau, ce genre de choses ne s'invente pas, vous savez.

— Non, dit-elle en soupirant. Non, je suppose que non. Mais ton père, ma chère, que vas-tu faire, quand tu vas finalement le voir ?

— Ah, eh bien, vous voulez savoir, hein ? bredouillai-je en me croisant les bras. Eh bien, j'imagine qu'après m'être excusée et tout, eh bien, vous voyez... Il se trompait sur beaucoup de choses, et j'ai sans cesse changé d'école parce que je ne pouvais pas bien faire passer ses erreurs.

Je savais que je l'avais perdue, mais je continuai.

— Et il rend maman complètement folle, un mercredi sur deux. Et j'en ai assez de ça, vous comprenez ? Aloooors, je *voulais* lui demander de divorcer.

Gladdy respira profondément.

— Ne vous inquiétez pas, j'ai décidé que je n'ai pas assez de cran pour ça. En plus, je ne me vois pas être fille de meurtrier et enfant du divorce. Quand même, je veux dire, une chose à la fois, vous ne pensez pas ? Mais j'imagine que je pourrais lui demander de ne pas la faire pleurer autant. Je pourrais au moins faire ça, non ? Ce serait *gentil*, n'est-ce pas ? Je veux faire quelque chose de gentil.

Gladdy se replaça sur son siège. Elle mit une main sèche et ridée sur mon genou.

— Ma chère, est-ce que tu l'aimes ?

— Si je l'aime ?

Elles ont l'esprit beaucoup plus vif qu'on pourrait le croire, ces dames Crabtree.

— Oui, bien sûr. Ouais, c'est mon père, il était tout pour moi ; plus que maman, même. Vous devriez voir mon miroir ; je suis sa princesse. Mon Dieu, bon, d'accord, ça fait longtemps, mais on n'arrête jamais d'aimer son...

Mes yeux piquaient.

— Je suis juste un peu... je suis très nerveuse. Désolée, Gladdy.

Gladdy me déplia les bras, prit une de mes mains dans les siennes et la serra.

— Ne t'en fais pas, dit-elle. Tout va bien aller.

Elle me tint comme ça tout le reste du voyage, me caressant occasionnellement le bras ou le serrant, jusqu'à Kingston.

Parfois, je lui serrais le sien en retour.

Une fois à destination, je me mis à trembler comme un chihuahua. Le petit-fils de Gladdy venait la chercher, mais il allait devoir attendre qu'elle ait terminé de fouiller dans son sac à main.

— Voilà.

Elle commença à écrire au verso d'une carte de rendez-vous chez le coiffeur.

— Voici, ma chère, mon adresse et mon numéro de téléphone.

Génial, encore une fois.

— Je veux que tu me promettes de venir me visiter, la prochaine fois que tu iras voir ton père, et nous prendrons...

— Du thé ? devinai-je.

Elle mit sa main chaleureuse sur mon visage.

— Ou une bonne boisson chaude, dit-elle en me faisant un clin d'œil. Tu vas y arriver, ma chère.

— Ouais, dis-je pour moi-même en la regardant se diriger vers le terrain de stationnement. Ouais.

Je m'en allai furtivement à la station de taxis. Il n'y avait ni voiture ni personne. Pas de file de gentils hommes d'affaires derrière moi. J'allais interpréter la chose comme un signe du destin et retourner prendre un autobus vers Toronto, lorsqu'un taxi s'arrêta devant moi.

— Vous allez où, jeune dame ?

Le chauffeur fit tomber un mégot de cigarette à mes pieds.

Jeune dame.

Je le regardai s'allumer une autre cigarette à partir de l'allume-cigarettes, puis je jetai un coup d'œil à l'autobus Greyhound en partance pour Toronto. Des gens montaient à bord.

— Allez, monte.

Je pouvais y arriver.

— Mademoiselle ? Monte. Qu'est-ce que tu veux, enfin ?

Ce que je veux ? Je veux marcher *avec assurance* jusqu'au quai pour Toronto. Il y a des limites à toutes les vérités qu'une fille, voire une dame, peut avaler dans un court laps de temps. Tout de même, après tout ce qui s'était passé, pour l'amour de Dieu, j'avais besoin d'un répit, de temps, pour absorber le tout.

Ouais.

Non.

Je pourrais au moins monter dans le taxi, au moins me rendre à la prison, puis prendre ma décision une fois rendue là-bas. Dans mes 12 tentatives précédentes, je n'avais même pas quitté la gare d'autobus.

Ouais.

En plus, ce serait une chose vraiment *gentille* à faire, au moins *me rendre* à la fichue prison.

Ouais !

Le simple fait de m'y rendre serait un pas de géant, et puis… puis… Eh bien, laissons l'avenir venir.

Je me glissai dans le taxi.

— Vous allez où ?

Il y a un premier pas à tout.

— Euh, au pénitencier.

Le chauffeur de taxi se retourna brusquement.

— La prison ?

— Oui, répondis-je. S'il vous plaît. Le 13 est mon chiffre chanceux.

Remerciements

Paula Wing, dramaturge exceptionnelle, a été présente pour le premier mot, pour le dernier, et, heureusement, pour tous les autres parfois difficiles et pénibles à trouver. Si ce présent livre a vu le jour, c'est grâce à elle. Comme le dit l'adage, « il faut un village, pour écrire un roman pour jeunes adultes ». À ce titre, je suis reconnaissante au-delà de toute mesure raisonnable à mes premiers éditeurs, Sasha et Nikki Toten ; à Susan Adach, Nancy Hartry, Ann Goldring et Loris Lesynski, membres de mon groupe d'écriture, pour leurs longues souffrances ; à l'infatigable Leona Trainer ; à mon éditrice, Barbara Berson, pour sa patience et sa bonne humeur ; et à ma relectrice, Dawn Hunter, pour son intelligence et sa diplomatie. Je suis aussi reconnaissante au-delà des mots à mon mari, Ken, dont la foi déplace les montagnes, et à ma belle-mère, Mary Toten, qui vivra toujours dans mes mots et dans l'usage de mes virgules.

Ne manquez pas la suite

Tome 2

Les Blondes possèdent toutes un journal intime magnifique et parfait, qui se marie à leur personnalité tout aussi magnifique et parfaite. Celui de Madison est fait d'un cuir doux parfaitement souple, de couleur turquoise. Son nom est discrètement incrusté dans le cuir, en lettres argentées qui ne ternissent pas, et la tranche est de cette même couleur argentée super brillante.

Le journal de Kit est intensément psychédélique. La couverture est faite de deux feuilles de plastique entre lesquelles se déplacent des flaques de liquide dans tous les sens. Ces flaques sont toutes fluo : orange fluo, jaune fluo, rose fluo, vert fluo, et ainsi de suite. Ce n'est pas tant un journal intime qu'un objet de divertissement.

Le journal de Sarah est fait d'une couverture rose vif en fourrure de lapin duveteuse. Elle caresse et manipule cette fourrure de la même manière que tante Radmila s'amuse avec ses grains de chapelet.

Il doit secrètement y avoir quelque part la boutique du journal intime absolument parfait, et il faut être Blonde pour en obtenir l'adresse.

Je ne le nierai pas, je déteste écrire.

Particulièrement à mon sujet.

Les Blondes écrivent sans cesse sur tous les détails de leur vie, sur les événements tant glorieux que moins glorieux. Je ne veux même pas songer aux détails de ma vie, encore moins les coucher sur papier. Les mensonges, les déménagements, les écoles, les épisodes catatoniques de maman — *qui* oserait noter tout ça ?

Kit dit qu'il est parfaitement acceptable de simplement dresser des listes de choses et d'y inscrire une date, pour au bout du compte obtenir, genre, un registre décrivant fidèlement qui nous étions et ce que nous pensions à un moment précis de notre vie.

Eh bien, ça me donne des sueurs.

Tu notes quelques petites choses dans un moment de faiblesse, et te voilà piégée devant ces confidences sur papier qui reviendront à tout jamais te hanter et te rappeler ta profonde superficialité. Sarah dit que n'importe quelle sorte de liste peut faire l'affaire : tes chansons préférées, les garçons que tu apprécies, tes objectifs d'amélioration personnelle. Ces listes me font paniquer. Euh, sauf celles sur les garçons. Je pourrais inscrire le nom de ce magnifique et sublime garçon pour qui mon cœur bat la chamade, Luke Pearson. Mais voilà, l'amour de ma vie sort apparemment encore avec Alison « double D » Hoover. Qui a besoin de lire ça noir sur blanc ?

Faire des listes de chansons ne m'intéresse pas non plus.

Je sais par expérience que je commence avec la meilleure volonté du monde, puis la réalité me rattrape : si ça se savait, je serais totalement détruite. Ce serait plus facile pour moi de survivre à l'école si tout le monde savait que papa était en prison à Kingston que si tout le monde savait que *Dancing Queen* d'Abba occupe le deuxième rang de mes chansons préférées.

La liste des améliorations personnelles, c'est encore pire. Par où commencer ? Non, ce n'est même pas ça. Le problème, c'est que je suis juste assez intelligente pour avoir honte de mes objectifs. En fait, ce que je veux vraiment, au plus profond de moi, ce à quoi j'aspire, genre, absolument..., c'est d'être Blonde. Il y a des fois où je pourrais m'éclater un rein dans ce but.

Évidemment, non, pas pour les cheveux. Je sais que ça ne rimerait à rien de transformer ma crinière noire bouclée en de longs cheveux droits irradiant de soleil, quoique, seigneur, ce serait extraordinaire ! Non, ce que je veux, c'est être Blonde dans un sens plus profond, métaphysique, spirituel, avec une grosse maison impressionnante, des vêtements fabuleux et une brillante vie de Blonde sans complications. D'accord, je sais maintenant que même les Blondes peuvent être un peu compliquées, mais elles ont aussi des familles qui discutent doucement de leur journée devant un rôti de bœuf aux panais, autour de vraies tables de salle à manger, avec un père leur adressant toujours un sourire indulgent.

Bon, je dois l'avouer, depuis deux semaines, j'ai un père qui me sourit sans cesse de manière indulgente. Donc..., ce serait ingrat, ou radin, ou quelque chose comme ça, d'admettre vouloir encore être Blonde.

Alors..., je laisse tomber.

En plus, je n'ai pas de journal intime. Je *n'avais pas* de journal intime.

J'avais dû faire l'erreur de parler à papa de ces incroyables journaux, à un moment ou l'autre au cours de l'été.

Je devrai me surveiller.

Papa était en prison durant presque sept ans, et il se sent de toute évidence obligé de répondre à tous les désirs que j'aurais pu avoir, que j'ai peut-être maintenant, ou que je pense peut-être avoir un jour.

J'ai donc maintenant un journal intime.

Je suis la fière détentrice d'une œuvre d'art unique entièrement conçue et fabriquée par mon père. Papa est profondément créatif. J'avais oublié ça.

Il a lui-même nettoyé et tanné le cuir à la main, puis il a fait le papier — oh, mon Dieu ! Les deux pages couverture sont solidement retenues par des lanières et des franges de cuir. Le tout ressemble à une selle. Mon nom est aussi incrusté dans la couverture du journal, mais pas aussi discrètement que celui de Madison dans le cuir du sien. Papa s'est servi d'un chalumeau. Sa calligraphie est magnifique, mais l'outil qu'il a utilisé doit être difficile à manier, car les lettres sont énormes. Malgré la grande taille des pages couverture — mon journal s'étend sur la moitié de la table —, mon père n'a pu réussir à inscrire mon nom sur une seule ligne. Le résultat est donc le suivant :

SOPHIA

KAND

IN

SKY

C'est plutôt poétique et tout, du point de vue d'un anglophone : « *in sky* », « au ciel ». J'essaie souvent de rappeler à papa que je préfère maintenant me faire appeler Sophie plutôt que Sophia. Je suppose que c'est un peu difficile pour lui d'arriver à se le rappeler, vu tout le reste auquel il doit s'habituer et dont il essaie de se souvenir.

Il y a beaucoup de petits détails comme ça.

Toutes les feuilles de mon journal, sans exception, sont faites à la main. C'est donc dire que les pages sont d'un beige foncé tacheté, d'une « texture intéressante », plutôt qu'uniformément blanches comme neige. L'ouvrage semble digne de figurer derrière un présentoir vitré. Je suis assise depuis plus de deux heures à essayer de penser à ce que je pourrais écrire d'important pour la première fois.

Papa et maman sont tous les deux sortis, et je suis seule, ce qui est bien. Je ne peux tout simplement pas écrire quand il y a des gens autour de moi.

Et... apparemment, je ne peux pas non plus écrire lorsque je suis seule.

Ce damné cahier est si gros et rigide que je dois garder ouverte la page couverture avec mon épaule gauche, puis essayer de retenir le reste avec mon bras droit et le haut de ma poitrine.

Je fixe le papier marbré et ondulé.

J'ai le syndrome de la page blanche.

Peut-être qu'un verre d'alcool m'aiderait à trouver l'inspiration, mais je n'y consens que lorsque les tantes viennent à la maison. Tante Luba a toujours une bouteille de brandy cachée dans son fourre-tout de soirée. L'alcool n'a jamais été permis dans aucun de nos appartements ni dans notre actuel appartement en copropriété, étant donné les problèmes de boisson de papa. La prison a réglé ça. Son séjour derrière les barreaux n'aura donc pas été vain, comme tante Eva aime le rappeler assez régulièrement.

Je suppose que je pourrais écrire sur le retour de papa, mais c'est compliqué. C'est que maman et moi étions devenues d'assez bonnes menteuses à son sujet. Nous n'avions pas le choix. C'était une question de survie. Et l'an dernier, quand j'ai commencé ma troisième année du secondaire au collège Northern Heights, nous l'avons fait passer pour mort. C'était en fait l'idée de papa. C'était censé être une question de « nouveau départ ». Donc, papa était mort en raison d'artères explosives, et j'étais miraculeusement devenue l'amie des Blondes.

Tout allait bien.

À merveille.

*Sauf qu'*il a finalement été prouvé que papa n'avait absolument rien à voir avec la mort du pauvre homme, ce qui en soi était tout simplement fantastique, sauf que… excepté que… si ce n'est que… papa *est censé être mort* !

Voilà ce qui est compliqué.

Quand même, de manière générale, tout va bien. Papa fait de son mieux pour admettre que je n'ai plus huit ans et, de fait, il y arrive souvent mieux que maman. Il ne peut s'arrêter de me regarder, mais ça va. Vraiment. Je comprends. Il essaie de se rattraper. De plus, papa me voit *vraiment*. Il me regarde et me considère encore comme sa princesse.

Maman me regarde et me considère comme un ouvrage en cours.

Eh bien, il n'y a rien à écrire à ce sujet.

Un journal est censé recueillir toutes les pensées profondes les plus secrètes — les vraies.

Je mens depuis si longtemps que je ne sais même plus si je pourrais choisir de dire la « vérité ». Aujourd'hui, papa a répondu au téléphone. Nous n'arrêtons pas de lui dire de ne pas le faire. Quoi qu'il en soit, c'était Kit, qui m'a évidemment demandé qui était à l'appareil.

Donc, naturellement, j'ai menti.

Ce mensonge était purement un réflexe. Sans même attendre une seconde, je me suis entendu dire qu'il s'agissait de mon oncle, le frère de papa, qui allait vivre avec nous un certain temps.

Tuez-moi maintenant.

Je n'arrive pas à me suivre moi-même.

J'avais juré que je ne mentirais plus.

C'était assez !

Honnêteté.

Voilà un excellent objectif d'amélioration personnelle réfléchi, tout à fait mûr, dont n'importe qui pourrait être fier. Je pris mon crayon.

Nous sommes le 1er septembre 1975, et l'école commence demain.

Le papier était d'une telle « texture intéressante » que toutes les lettres étaient tordues et couvertes de taches. Papa aussi était sur une lancée d'honnêteté. Hier, il avait promis à maman qu'il ne lui mentirait plus, plus jamais. Il lui avait fait cette promesse dans un moment d'intimité, alors qu'ils étaient dans la cuisine. Ils s'étaient fait un câlin, et maman s'était mise à pleurer. J'oserais penser qu'elle le croyait.

Ce qui est bien, j'imagine.

Papa ne m'a jamais menti. Il n'avait pas à le faire. Il m'aimait à ce point-là. Il m'aimait, et j'étais la gardienne de tous ses secrets.

Donc, si papa pouvait promettre de ne plus jamais mentir à maman, je pouvais sans doute me résoudre à raconter toute la vérité à tout le monde et briser une bonne fois pour toutes ce cercle mensonger dans lequel je me trouvais. Pourquoi pas ? Quel soulagement ce serait ! Absolument !

Holà ! Une minute.

Il y avait des complications.

Allais-je pouvoir avouer à toute l'école que, par miracle, le père de Sophie Kandinsky était vivant, après tout, qu'il avait juste été emprisonné malencontreusement à Kingston durant sept ans pour un crime qu'il n'avait pas commis, et qu'il était trop soûl sur le moment pour se souvenir du coupable ?

Je ne pense pas.

Madison savait toute l'histoire, bien sûr. C'était son père et son grand-père qui avaient aidé à faire sortir papa. Madison ne poserait pas de problème, de toute manière. Elle avait assez de ses *complications.* Mais je devais le dire aux deux autres. Kit et Sarah méritaient de savoir la vérité. Je leur faisais confiance. Elles étaient mes amies, et les amies se disent la vérité.

Lorsqu'elles en sont capables.

D'accord. J'écrivis très attentivement, très sincèrement.

J'aime Luke Pearson.
Papa est finalement, finalement de retour, et jusqu'à maintenant, tout va bien.
Je vais dire la vérité aux Blondes.
Je serai résolument plus honnête, et...

Bon, ça sonnait bien, mais... Ah, et puis tant pis.

... je veux encore devenir Blonde.